MIRACLE

DU MÊME AUTEUR
CHEZ LE MÊME ÉDITEUR

Album de famille
La Fin de l'été
Il était une fois l'amour
Au nom du cœur
Secrets
Une autre vie
La Maison des jours heureux
La Ronde des souvenirs
Traversées
Les Promesses de la passion
La Vagabonde
Loving
La Belle Vie
Un parfait inconnu
Kaléidoscope
Zoya
Star
Cher Daddy
Souvenir du Vietnam
Coups de cœur
Un si grand amour
Joyaux
Naissances
Disparu
Le Cadeau
Accident
Plein Ciel
L'Anneau de Cassandra
Cinq Jours à Paris
Palomino
La Foudre
Malveillance
Souvenirs d'amour
Honneur et Courage
Le Ranch
Renaissance
Le Fantôme
Un rayon de lumière
Un monde de rêve
Le Klone et moi
Un si long chemin
Une saison de passion
Double Reflet
Douce Amère
Maintenant et pour toujours
Forces irrésistibles
Le Mariage
Mamie Dan
Voyage
Le Baiser
Rue de l'Espoir
L'Aigle solitaire
Le Cottage
Courage
Vœux secrets
Coucher de soleil à Saint-Tropez
Rendez-vous
A bon port
L'Ange gardien
Rançon
Les Echos du passé
Seconde Chance
Impossible
Eternels Célibataires
La Clé du bonheur

Danielle Steel

MIRACLE

Roman

Traduit de l'anglais (Etats-Unis)
par Valérie Thomas

Titre original : *Miracle*

ISBN 978-2-258-06872-8

Aux miracles,
Petits et grands,
Qui apportent le pardon.
Et aux amours véritables,
O si rares,
Qui se conquièrent si durement.

Avec toute mon affection,

d.s.

« … l'humaine sagesse était tout entière dans ces deux mots : attendre et espérer »

Alexandre Dumas
Le Comte de Monte-Cristo

1

La *Victoire* longeait la côte en direction du vieux port d'Antibes, par une journée pluvieuse de novembre. La mer était un peu agitée et, debout sur le pont, Quinn Thompson fixait les voiles en savourant ses dernières minutes à bord. Le ciel gris, la pluie, les vagues, rien de tout cela ne le dérangeait. Marin chevronné, habitué à naviguer par tous les temps, il se sentait parfaitement à son aise sur ce splendide bateau de quarante-cinq mètres, équipé de moteurs auxiliaires, qu'il avait loué à un homme avec qui il avait souvent fait affaire à Londres. Après avoir connu quelques revers financiers, celui-ci le lui avait loué depuis août pour une fortune, mais Quinn ne le regrettait pas. D'une part, il pouvait se le permettre, car il avait très bien réussi sur le plan professionnel. D'autre part, son périple lui avait fait beaucoup de bien. Il se sentait beaucoup plus fort et serein qu'au moment de son départ, et commençait même à se résigner à son sort.

Il était monté à bord de la *Victoire* en Italie, avant de gagner les eaux espagnoles et françaises. Le golfe du Lion lui avait ménagé quelques moments difficiles, mais il avait été heureux de cette tempête soudaine qui avait mis un peu de piment à son voyage. Puis il avait pris la direction de la Suède et de la Norvège, avant de revenir lentement par la côte allemande. Cela faisait ainsi trois mois qu'il bourlinguait, repoussant sans cesse son retour en Californie. Il n'avait aucune raison de rentrer chez lui, mais avec l'arrivée de l'hiver, il savait que cela était inévitable. De plus, le propriétaire de la *Victoire* tenait à récupérer son bateau dans les Caraïbes pour en profiter au moment de Noël.

Tout ce temps passé sur la *Victoire* lui avait été extrêmement profitable. Cela lui avait permis de réfléchir et de se remettre en partie du drame qui l'avait frappé. Et surtout, ces longues semaines à bord lui avaient rappelé combien il aimait naviguer. Plus qu'un loisir, c'était une passion pour lui. Il aimait la solitude, qui l'aidait à se ressourcer, et avait apprécié que l'équipage se montre aussi discret qu'efficace. Mais, par-dessus tout, son voyage lui avait offert une échappatoire et un refuge. La beauté sévère des fjords, en particulier, avait trouvé bien plus d'écho en lui que les ports plus gais ou romantiques de la Méditerranée, qu'il avait d'ailleurs soigneusement évités.

A présent, ses bagages étaient prêts dans sa cabine, et il connaissait suffisamment l'équipage pour deviner qu'il ne resterait plus la moindre trace de son passage après son départ. Il avait voyagé avec six hommes et une femme – l'épouse du capitaine, qui officiait comme hôtesse. Tous britanniques, comme leur employeur, ils avaient fait preuve d'une extrême courtoisie à son égard et avaient respecté son besoin d'intimité en veillant à le déranger le moins possible. Cette discrétion ne les avait cependant pas empêchés d'apprécier ses qualités de marin et de se rendre très vite compte qu'il s'y connaissait nettement mieux que le propriétaire du voilier. C'est ainsi que, au fil des mois, Quinn avait tissé des liens empreints d'une profonde estime avec le capitaine, Sean Mackenzie.

— Désolé pour le changement de cap, s'excusa ce dernier en le rejoignant sur le pont.

Quinn se tourna vers lui et hocha la tête sans un mot. Les vagues qui se brisaient contre les flancs du bateau ne le troublaient pas plus que la pluie qui leur fouettait le visage. Sa tenue le protégeait parfaitement et, à vrai dire, il ne détestait pas un bon grain de temps à autre. La seule chose qui lui déplaisait était la perspective de quitter bientôt la *Victoire* et de ne plus pouvoir discuter avec le capitaine, comme il l'avait fait durant ces trois mois. Tous deux avaient passé des heures à parler voyages et il devait reconnaître que cela lui manquerait.

Il en allait de même pour le capitaine, qui avait été impressionné par les connaissances et l'expérience de Quinn. Le propriétaire du bateau lui avait confié qu'il avait commencé tout en bas de l'échelle et qu'il avait fait fortune à force de travail et de pugnacité. Il l'avait même qualifié de brillant, ce dont Sean Mackenzie convenait aisément, à présent qu'il le connaissait mieux. Bel homme plein d'allant, Quinn Thompson était une légende dans le monde de la finance internationale. Admiré de beaucoup, craint de certains, haï de quelques-uns – parfois avec raison –, il s'était toujours battu obstinément pour obtenir ce qu'il désirait. C'était un être complexe, à la fois franc, sûr de lui, puissant, doté d'une grande imagination dans son domaine, mais aussi mystérieux et peu bavard, sauf en de rares occasions, comme après plusieurs cognacs, ce que Sean avait pu constater. Il avait également compris, à quelques allusions, que Quinn avait perdu sa femme quelques mois plus tôt et qu'il avait une fille, Alex. Mais c'était tout. Le plus souvent, leurs conversations portaient sur leur principal centre d'intérêt à tous les deux, les bateaux. Et s'il avait parfois lu une profonde douleur dans le regard de Quinn, ce dernier n'avait jamais parlé de sa vie privée. Il était du genre à partager ses idées bien plus volontiers que ses sentiments.

— Vous devriez faire une offre à M. Barclay pour la *Victoire*, dit Sean tandis que l'équipage affalait les voiles.

Quinn sourit, ce qui n'était pas fréquent chez lui, mais lorsque cela lui arrivait, tout son visage s'éclairait. On aurait dit alors un autre homme, complètement différent de celui qu'il était la plupart du temps – triste et en proie à des idées noires.

— J'y ai déjà songé, admit-il, mais je ne crois pas qu'il accepterait de s'en défaire.

En fait, il avait déjà posé la question à John Barclay, et celui-ci lui avait répondu qu'il préférerait se séparer de sa femme et de ses enfants plutôt que renoncer à la *Victoire*, ce que Quinn comprenait et respectait. Mais, durant ces trois mois, l'idée d'acheter un voilier avait fait son chemin dans sa tête. Cela faisait des années qu'il n'en possédait plus, alors pourquoi s'en priver maintenant qu'il n'y avait plus rien pour l'en empêcher ? Ce serait la parfaite réponse à son désir de fuir San Francisco. Il avait déjà décidé de vendre sa maison et envisageait d'acquérir un appartement quelque part en Europe. A soixante et un ans, il était retraité depuis près de deux ans et, depuis la mort de sa femme Jane, il n'avait plus de raison de rester en Californie. Un voilier lui redonnerait peut-être un peu de joie de vivre. Il s'était rendu compte que la *Victoire* y était déjà parvenue. De plus, l'avantage avec les bateaux était que, contrairement aux gens, ils ne vous décevaient jamais.

— Vous devriez en acheter un autre, monsieur, hasarda le capitaine, qui aurait adoré travailler pour lui.

Quinn était dur mais juste, et naviguer avec lui était un plaisir. Il avait exploité à fond les capacités de la *Victoire* et était allé dans des zones où John

Barclay n'aurait jamais osé, ni même imaginé, s'aventurer. Et tout l'équipage partageait ce point de vue.

— C'est exactement ce que je me disais, répondit Quinn.

Déjà, il regrettait la *Victoire*. Il savait que le voilier devait repartir deux jours plus tard pour Gibraltar et, de là, vers Saint-Martin aux Antilles, où John Barclay comptait passer les fêtes de fin d'année avec sa famille. En louant son bateau, Quinn lui avait permis de faire face à ses difficultés financières et de conserver la *Victoire* pendant un bon moment encore.

— N'auriez-vous pas entendu parler d'un yacht du même type qui serait à vendre ? demanda Quinn avec espoir.

Les yeux rivés droit devant lui pour surveiller leur entrée dans le port, le capitaine réfléchit un moment avant de répondre.

— Rien qui corresponde à ce que vous souhaitez, malheureusement, dit-il enfin.

Les gros bateaux ne manquaient pas sur le marché, mais les voiliers répondant aux attentes de Quinn étaient beaucoup plus rares. Le plus souvent, leurs propriétaires y tenaient comme à la prunelle de leurs yeux et ne s'en séparaient donc pas facilement.

Le capitaine cherchait encore à qui Quinn pourrait s'adresser lorsque son second s'approcha d'eux. A tout hasard, il lui posa la question.

— Oui, j'ai entendu parler d'un voilier qui serait à vendre, il y a deux semaines, quand on a quitté la Norvège, répondit le jeune homme. Il est en cours de finition dans un chantier naval aux Pays-Bas. Bob Ramsay l'avait commandé l'année dernière, avant de décider qu'il en voulait un plus gros. A ce qu'il paraît, c'est un vrai bijou.

Tous trois savaient qu'il ne pouvait en être autrement avec un homme comme Bob Ramsay. Américain, marié à une Française et vivant à Paris, Bob Ramsay était un marin hors pair de réputation internationale, qui possédait trois yachts magnifiques avec lesquels il avait remporté de nombreuses compétitions en Europe.

— Vous vous souvenez du nom du chantier ? demanda Quinn.

— Oui. Je leur téléphonerai dès que nous aurons accosté, si vous voulez.

Quinn avait prévu de prendre un avion pour Londres dans l'après-midi, de passer la nuit à l'hôtel et de s'envoler pour San Francisco dès le lendemain matin. Auparavant, il avait appelé sa fille pour lui proposer d'aller la voir à Genève, mais elle lui avait répondu qu'elle était trop occupée avec ses enfants. Il connaissait bien sûr la véritable raison de son refus, mais n'avait plus assez d'énergie pour tenter de s'expliquer une nouvelle fois. Il y avait trop d'amertume, trop de différends entre eux depuis des années. Alex ne lui avait jamais pardonné d'avoir été absent pendant toute son enfance et surtout de ne pas l'avoir prévenue plus tôt de la maladie de sa mère. Avec le recul, il se rendait compte que c'était un mélange de déni et d'espoir aveugle qui l'en avait empêché. Il avait refusé de croire que Jane puisse mourir – et elle aussi d'ailleurs. L'un et l'autre étaient persuadés qu'elle se rétablirait. Et lorsque Jane avait accepté qu'il appelle Alex, il était trop tard. Il ne lui restait plus que quelques jours à vivre. Parfois, Quinn se demandait si tous deux n'avaient pas inconsciemment voulu passer ces derniers instants seuls, excluant ainsi leur fille.

Lorsque Alex était arrivée, la maladie avait presque achevé son œuvre. Bourrée de médicaments et souffrant le martyre, Jane avait à peine pu lui parler, en dehors de quelques rares instants de lucidité durant lesquels elle avait continué de soutenir qu'elle allait s'en sortir. Deux jours plus tard, elle mourait. Inconsolable et ivre de colère contre son père, Alex avait laissé libre cours à toute la rancœur qu'elle avait accumulée contre lui. Ses déceptions, ses peines et son ressentiment s'étaient transformés en rage, et elle lui avait envoyé une lettre d'une extrême dureté, dès qu'elle était rentrée chez elle. Durant des mois, elle avait refusé de répondre à ses appels téléphoniques. Même si Jane, avant sa mort, leur avait recommandé de prendre soin l'un de l'autre, Quinn avait finalement renoncé à se faire entendre de sa fille. Il savait combien Jane aurait souffert de voir Alex et lui devenir de parfaits étrangers, et il en éprouvait un réel sentiment de culpabilité, mais il n'y avait rien à faire. Au plus profond de lui, il savait qu'Alex avait raison. Même s'ils ne l'avaient pas voulu, Jane et lui l'avaient empêchée de dire au revoir à sa mère.

Le coup de fil qu'il lui avait passé deux jours plus tôt n'avait été qu'une ultime et dérisoire tentative pour renouer le contact avec elle. Comme il s'y attendait, il avait essuyé un refus glacial. Le fossé qui les séparait était tel qu'il ne voyait plus comment faire. Durant toutes les années qu'il avait passées à construire son empire, il avait consacré très peu de temps à sa famille. Jane lui avait pardonné, mais cela n'avait rien d'étonnant. Elle avait toujours éprouvé beaucoup d'admiration et de compréhension pour ce qu'il faisait. Elle avait été fière de ses succès, quel qu'en eût été le prix. Alex, en revanche, n'avait jamais accepté ses absences à répétition et son manque d'intérêt apparent pour ses enfants. Et elle ne s'était pas gênée pour le lui dire le jour de l'enterrement, en même temps qu'elle lui criait sa colère de ne pas avoir été avertie plus tôt de la maladie dont souffrait sa mère. Bien que d'apparence délicate, comme Jane, elle était aussi dure que lui. Son inflexibilité et sa rancune n'avaient rien à envier à celles dont il avait si souvent fait preuve par le passé.

Pourtant, Quinn était capable d'une tendresse et d'une sensibilité que peu de personnes en dehors de sa femme connaissaient. Jane l'avait aimé pour cela, même s'il cachait soigneusement ces aspects de sa personnalité. Malheureusement, Alex n'en avait pas hérité, pas plus que de la bonté de sa mère. Il y avait un côté froid et dur chez elle, qui effrayait parfois Quinn. Elle lui en voulait depuis très longtemps et il était clair qu'elle n'allait pas changer d'avis, surtout après ce qui s'était passé. La mort de Jane avait ainsi sonné le glas de leur relation père-fille. Face aux accusations d'Alex, Quinn avait fini par admettre que, en effet, il n'avait pas voulu partager Jane durant ses derniers jours. Terrifié à l'idée de la perdre, il avait d'abord refusé de voir la réalité en face. Puis il avait eu besoin de lui parler, après tant d'années de silence, et il lui avait dit tout ce qu'il éprouvait pour elle et n'imaginait pas être capable de lui confier. Jane et lui s'étaient ouverts l'un à l'autre comme jamais auparavant pendant ces quelques semaines, et elle lui avait montré les poèmes qu'elle avait écrits ainsi que son journal intime. Lui qui croyait bien la connaître avait alors découvert qu'il s'était trompé sur toute la ligne.

Sous une apparence calme, tranquille, presque banale, se cachait une femme aimante et passionnée, qui lui avait voué un amour dont il n'avait jamais deviné la force et la profondeur. Plus que tout, c'était ce qu'il ne se pardonnait pas. Il n'avait pratiquement jamais été là pour Jane et, d'une certaine manière, l'avait davantage abandonnée, elle, que leur fille. Jane aurait pu, tout comme Alex, lui reprocher ses multiples absences, mais il n'en avait rien été et elle n'avait jamais cessé de l'aimer. Il en éprouvait une honte et une culpabilité qui, il le savait, le rongeraient jusqu'à la fin de sa vie. Sa faute lui paraissait encore plus impardonnable depuis qu'il avait lu son journal intime et ses poèmes. Il les avait emportés avec lui sur la *Victoire* et les avait lus et relus chaque soir depuis son départ. Les poèmes en particulier lui avaient fendu le cœur. Jane était la femme la plus généreuse et la plus compatissante qu'il eût jamais rencontrée et, ironie du sort, il ne l'avait compris qu'après l'avoir perdue, c'est-à-dire trop tard. Bien trop tard. Désormais il ne pouvait plus que regretter ses erreurs et ses manquements. Il n'existait aucun moyen de réparer le mal qu'il avait fait, ni même de l'atténuer. Il s'était excusé auprès de Jane, bien sûr, mais avait souffert encore plus lorsqu'elle lui avait répondu qu'il n'avait pas de remords à avoir et qu'elle avait toujours été heureuse avec lui. Comment avait-elle pu l'être avec un homme constamment absent, qui ne lui prêtait aucune attention ? Quinn savait quels étaient ses torts et pourquoi il avait agi ainsi. Il avait été trop longtemps obsédé par son travail et sa réussite personnelle pour se soucier de quiconque, y compris des siens. Tout comme Alex, Jane aurait dû lui en vouloir. Mais, jusqu'au bout, elle lui avait témoigné un amour qu'il ne méritait absolument pas. Il en faisait des cauchemars presque toutes les nuits. Des cauchemars dans lesquels il la voyait le supplier de rentrer à la maison et de ne pas l'abandonner.

Il avait pris sa retraite l'année précédant sa mort, et ils avaient passé une année à voyager. Comme d'habitude, Jane avait été d'accord pour aller là où il le souhaitait. Ils avaient ainsi visité Bali, le Népal, l'Inde et même le fin fond de la Chine. Ils étaient retournés dans des pays que tous deux adoraient, comme le Maroc, le Japon ou la Turquie. Pour la première fois depuis des années, ils s'étaient rapprochés l'un de l'autre. Quinn avait redécouvert combien Jane était gaie et agréable. Amoureux comme au premier jour, ils n'avaient jamais été aussi heureux que durant cette période.

C'était à Paris qu'ils avaient découvert à quel point elle était malade. Jane souffrait depuis des mois de maux d'estomac qu'ils avaient d'abord attribués à leurs nombreux voyages, mais qui s'étaient soudain aggravés dans la capitale française. Ils étaient aussitôt rentrés chez eux, où des examens leur avaient révélé combien ils s'étaient trompés. Mais même alors, ils avaient minimisé l'importance de la maladie. Enfin, Quinn surtout. La lecture du journal de Jane lui avait en effet appris qu'elle avait deviné la gravité de son état bien avant lui, tout en restant persuadée qu'elle s'en remettrait. Elle avait souffert sans rien dire, pour ne pas gâcher le plaisir qu'il prenait à voyager. Elle avait d'ailleurs été très ennuyée lorsqu'ils avaient dû annuler un voyage au Brésil et en Argentine. Comme cela semblait dérisoire à présent, songeait-il. La vie avait perdu tout son sens sans Jane.

Elle était morte en juin, à cinquante-neuf ans, après trente-sept ans de mariage. Alex en avait trente-quatre, et son frère Doug en aurait eu trente-six, s'il avait vécu. Il avait eu un accident de bateau à l'âge de treize ans, et Quinn se rendait compte maintenant qu'il l'avait à peine connu, lui aussi. La liste de ses regrets n'avait ainsi cessé de s'allonger pendant ces cinq derniers mois. Cinq mois interminables, atroces, sans Jane. Et il savait avec une absolue certitude qu'il ne se pardonnerait jamais d'avoir failli à sa famille. Ses cauchemars et le journal de Jane lui rappelaient constamment ses erreurs. Alex, elle, l'avait depuis longtemps jugé coupable, et il était certain qu'elle n'avait pas tort.

Quinn était plongé dans ces réflexions lorsque le capitaine frappa à la porte de sa cabine. Ils venaient d'accoster et il lui apportait des renseignements sur le voilier en cours de construction aux Pays-Bas.

— Il fait cinquante-quatre mètres, annonça-t-il tout heureux, et c'est un ketch de toute beauté, paraît-il. J'ai eu l'un des responsables du chantier au téléphone. Il m'a dit que personne ne s'était encore porté acquéreur, mais que le bateau suscitait déjà beaucoup d'intérêt.

Un sourire se dessina lentement sur les lèvres de Quinn. Jamais le capitaine ne l'avait vu aussi content – comme s'il avait soudain été débarrassé d'un lourd fardeau.

— Vous comptez aller le voir, monsieur ? s'enquit-il. Je serais ravi de modifier vos réservations pour votre retour, si vous voulez. Il y a un avion pour Amsterdam, une demi-heure après celui que vous avez prévu de prendre pour Londres.

Quinn n'en croyait pas ses oreilles. Un voilier de cinquante-quatre mètres. C'était complètement fou. Mais pourquoi pas, finalement ? Il pourrait passer le restant de sa vie à naviguer. Il ne demandait rien de plus. Vivre à bord d'un bateau, sillonner toutes les mers du globe, explorer des contrées inconnues, en emportant les poèmes et le journal de Jane. A part ça, rien n'avait de valeur pour lui.

— Ce serait de la folie, non ? dit-il en s'asseyant dans un fauteuil en cuir, l'air songeur.

Il avait l'impression étrange de n'être pas digne d'un tel bateau, et en même temps de le désirer plus que tout. Ce serait là le meilleur moyen de satisfaire son besoin de fuir toujours plus loin.

— Je ne pense pas, monsieur. C'est dommage qu'un marin comme vous n'ait pas son propre voilier.

Le capitaine voulut ajouter qu'il adorerait travailler sous ses ordres, mais sa crainte d'être jugé importun le retint. Il serait toujours temps d'aborder le sujet si vraiment Quinn Thompson achetait le ketch. Quinn correspondait exactement au profil d'employeur qu'il recherchait : un marin aguerri qui, contrairement à Barclay, ne laisserait jamais un voilier d'exception comme la *Victoire* rester la plus grande partie de l'année amarré dans un port.

— Le ketch sera prêt dans un an, peut-être moins si vous insistez un peu. Vous en disposeriez ainsi à la fin de l'été prochain, ou en octobre-novembre au plus tard.

— Très bien, déclara Quinn d'une voix ferme. Si ça ne vous ennuie pas de modifier mes réservations, je vais faire un détour par les Pays-Bas, alors.

Il n'avait rien de prévu, pas le moindre rendez-vous ni le moindre ami à voir, et les trois mois qu'il venait de vivre l'avaient conforté dans son désir d'avoir son propre bateau. Coûte que coûte. Et, cette fois, personne ne l'en empêcherait.

— Voudriez-vous prévenir le chantier de ma visite ? ajouta-t-il, le regard brillant d'impatience.

— Oui, monsieur. Tout de suite.

— J'aimerais aussi une chambre à l'hôtel Amstel. Juste une nuit. J'irai voir le bateau demain et je rejoindrai Londres aussitôt après.

Il était ravi de sa décision, et ce d'autant plus qu'elle ne l'engageait à rien. Il ne serait pas obligé d'acheter le ketch, s'il ne l'aimait pas. Peut-être en commanderait-il alors un qui serait réalisé à partir de ses plans à lui, mais il savait que cela prendrait beaucoup plus de temps. Il fallait compter au moins deux ans pour construire un voilier comparable à celui voulu au départ par Bob Ramsay, peut-être même davantage.

Le capitaine prit toutes les dispositions nécessaires et, une demi-heure plus tard, Quinn fit ses adieux aux différents membres d'équipage en les remerciant de leur gentillesse. Il laissa à chacun un pourboire généreux, ainsi qu'un chèque d'un montant substantiel au capitaine, accompagné de la promesse de lui faire part de sa décision concernant le ketch. Puis il s'éloigna en limousine vers l'aéroport de Nice, tout en éprouvant la même douleur que celle qu'il ressentait depuis des mois à l'idée de ne plus pouvoir confier ses projets et ses espoirs à Jane. Il y avait sans cesse des choses qu'il souhaitait partager avec elle et qui lui rappelaient à chaque fois combien elle lui manquait. Il ferma les yeux un instant en pensant à elle, puis se ressaisit. S'abandonner à son chagrin ne servait à rien. Il luttait depuis le mois de juin et sentait que seul un bateau arriverait à lui changer les idées. Cela lui permettrait de fuir les endroits où Jane et lui avaient vécu et dont il ne supportait plus la vue. Cela lui offrirait une nouvelle raison de vivre, aussi. Rien ne remplacerait jamais Jane, bien sûr, mais, alors qu'il atteignait l'aéroport, Quinn songea qu'elle aurait été heureuse pour lui. Comme toujours. Sa femme avait toujours soutenu ses choix et approuvé ses idées, si folles qu'elles aient pu paraître à certains moments. Elle aurait compris son désir mieux que quiconque, car elle était la seule à en être capable, la seule à l'avoir jamais aimé. Il savait désormais, sans l'ombre d'un doute, que sa vie avec elle avait été un long poème d'amour, semblable à ceux qu'elle avait écrits au fil des ans et qu'elle lui avait remis avant de mourir.

2

L'avion atterrit à l'aéroport d'Amsterdam-Schiphol à 18 heures, et Quinn prit un taxi jusqu'à l'hôtel Amstel. C'était l'un de ses préférés en Europe, tant son ancienneté, sa beauté et la qualité de ses prestations lui rappelaient le Ritz à Paris. Il commanda un en-cas peu après son arrivée, mélancolique d'avoir quitté la *Victoire* mais impatient de voir le ketch, le lendemain. Il espérait qu'il correspondrait à ses attentes.

Après une nuit agitée, il se leva tôt et fut prêt bien avant que sa voiture avec chauffeur n'arrive. Il en profita pour lire le *Herald Tribune* tout en prenant son petit déjeuner. Ils mirent une heure pour arriver au chantier. Le propriétaire des lieux, Tem Hakker, un homme jovial de forte carrure et un peu plus âgé que lui, avait déjà sorti les plans du voilier en prévision de leur entretien. Il avait entendu parler de Quinn et lu de nombreux articles sur lui, mais avait tout de même passé quelques coups de fil, la veille au soir, pour avoir des renseignements plus précis. Cela lui avait permis d'apprendre que Quinn pouvait se montrer très dur envers ceux qui le contrariaient ou le trahissaient.

Quinn s'assit et ses yeux brillèrent de plaisir en examinant les plans du bateau. Tem avait demandé à ses deux fils d'être présents. En charge du projet, ces derniers lui expliquèrent tout en détail avec une fierté qui se comprenait parfaitement. Le voilier allait être fabuleux et Quinn sentit grandir son respect pour Bob Ramsay. Le ketch posséderait presque tout ce qu'un passionné de navigation comme lui pouvait souhaiter. Il fit quelques suggestions techniques qui impressionnèrent les Hakker, car elles allaient améliorer le voilier.

— Bob Ramsay est fou de renoncer à une merveille pareille, murmura-t-il en étudiant encore une fois les plans.

— C'est parce que nous lui construisons un yacht de quatre-vingts mètres, expliqua Tem Hakker.

— Quatre-vingts mètres ! Cela devrait contenter Bob pendant un moment, conclut-il d'un ton léger avant de demander à voir le ketch.

En le découvrant, il se tut, admiratif. Le bateau était en cours d'achèvement et il était évident qu'il serait magnifique, avec son mât de cinquante-sept mètres et ses mille six cents mètres carrés de voilure. Pour Quinn, ce fut le coup de foudre. Le ketch lui parut d'une beauté à couper le souffle et il sut d'emblée qu'il le lui fallait, quel qu'en soit le coût.

Comme toujours, il se fiait entièrement à son instinct, ce qui lui avait plutôt réussi jusqu'alors.

Il passa une heure à examiner le voilier en discutant avec les Hakker des modifications qu'il souhaitait y apporter. Puis ils regagnèrent lentement le bureau de Tem. Celui-ci avait fixé un prix avec Bob Ramsay et, après un rapide calcul tenant compte des souhaits de Quinn, annonça un chiffre qui en aurait fait pâlir plus d'un. Sans ciller, Quinn fit aussitôt une contre-offre. Un long silence suivit, durant lequel Tem le jaugea. Enfin, il hocha la tête et lui serra la main. Le marché était conclu. Le prix demandé était considérable, mais il ne faisait aucun doute que le ketch le valait bien. Les deux hommes étaient ravis, surtout Tem Hakker. Un voilier de cette taille n'était pas facile à vendre, mais il avait eu la chance de tomber sur un client qui n'avait pas hésité un seul instant. Quinn expliqua alors qu'il souhaitait disposer du voilier pour le mois d'août. Il savait qu'un tel délai serait difficile à respecter, mais il avait hâte d'en profiter et savait déjà que l'attente serait longue pour lui.

— Novembre me paraît plus réaliste, répliqua Tem. Ou tout du moins octobre.

Après une longue discussion, ils se mirent d'accord sur le mois de septembre. Tem pensait pouvoir faire effectuer au bateau ses premiers tests en mer à ce moment-là et espérait que, avec un peu de chance, Quinn pourrait en prendre possession à la fin du mois ou début octobre, au plus tard. Quinn accepta cette date, puisqu'il n'avait pas le choix. Mais il avait l'intention de venir surveiller l'avancée du chantier aussi souvent que possible et de mettre la pression aux Hakker, pour qu'ils tiennent leurs engagements. Attendre un an lui paraissait une éternité.

Il les quitta à midi, après avoir signé un premier chèque, et il appela le capitaine de la *Victoire* pour le mettre au courant et le remercier.

— Félicitations, monsieur ! s'exclama Sean Mackenzie, tout en réfléchissant à la lettre qu'il comptait lui écrire pour lui proposer ses services. J'ai hâte de voir cette merveille !

Sans qu'il s'en doutât, Quinn avait la même idée que lui et se proposait de l'engager le moment venu. Mais pour l'heure, il avait d'autres plans et détails en tête. Dans la voiture qui l'emmenait à l'aéroport, il songea qu'il venait de se trouver non seulement un toit, mais aussi une passion. Il n'aspirait plus désormais qu'à vendre sa maison de San Francisco. Auparavant, quelques réparations, ainsi qu'un peu de ménage et de rangement s'imposeraient, mais cela ne l'effrayait pas. Une nouvelle vie s'offrait à lui, et cela allait rendre son retour chez lui plus facile – du moins essayait-il de s'en convaincre.

Bien des années plus tôt, il avait possédé un petit voilier et avait encouragé ses enfants à s'initier à la voile. Comme sa mère, Alex avait détesté ça. Puis Doug était mort dans un accident de bateau, alors qu'il était dans un camp d'été dans le Maine, et Jane avait voulu que Quinn se débarrasse de son voilier. Comme il n'avait presque jamais le temps d'en profiter, il avait accepté et, durant plus de vingt ans, s'était contenté de sorties en mer sur les yachts des autres – toujours sans Jane. Mais aujourd'hui, de nouveaux horizons s'ouvraient à lui. Passer le restant de ses jours sur un magnifique voilier en voguant sur toutes les mers du monde lui semblait le plus beau, le plus fou des rêves. Un sourire heureux flottait sur ses lèvres lorsqu'il monta dans l'avion qui l'emmenait à Londres et, arrivé à l'hôtel, il passa la nuit à prendre des notes.

Lorsqu'il embarqua à l'aéroport d'Heathrow, le lendemain, il comprit qu'il ne se sentirait plus jamais chez lui, à San Francisco. Rien ne l'attendait plus là-bas, hormis le souvenir de Jane et des années qu'ils avaient vécues ensemble, et ça, il pouvait l'emporter partout avec lui. Car où qu'il aille et quoi qu'il fasse, elle serait toujours dans son cœur. De plus, il avait son journal et ses poèmes, qu'il conservait précieusement sur lui. Peu après le décollage, il les sortit afin d'en relire quelques-uns, puis regarda par le hublot. C'est ainsi que, perdu dans ses pensées, il n'entendit pas l'hôtesse lui demander ce qu'il désirait boire. Quand, enfin, elle réussit à attirer son attention, il refusa la coupe de champagne qu'elle lui proposait, préférant un bloody mary, qu'elle lui apporta avant de servir les autres passagers. Persuadée que Quinn était quelqu'un d'important, elle le signala à son chef de cabine. Celui-ci jeta un coup d'œil dans la direction qu'elle lui indiquait, mais secoua la tête. Il ne connaissait pas ce passager et, même s'il avait de l'allure, il ne lui paraissait pas très sympathique.

— Sans doute un chef d'entreprise fatigué par une semaine de réunions à Londres, dit-il.

Et c'était ce qu'avait été Quinn, il n'y avait pas si longtemps. Mais à présent les choses avaient changé : il était le propriétaire d'un magnifique voilier, ce que ni l'hôtesse ni le chef de cabine ne savaient. Le ketch était désormais sa seule joie. Sa femme et son fils étaient morts, sa fille le détestait, ou du moins le croyait, il était seul au monde, sans personne pour s'intéresser à ce qu'il faisait. Dans quelques heures, il entrerait dans une maison vide qu'il avait partagée durant trente-sept ans avec une femme qu'il avait cru, à tort, connaître. Une femme qui l'avait aimé plus qu'il ne l'avait mérité, et envers qui il éprouvait un mélange de gratitude et de culpabilité. Fermant les yeux, il revit le visage de Jane et se concentra pour se remémorer sa voix, son rire. Plus que tout, il redoutait que ces petits détails ne s'estompent avec le temps, tout en sachant que cela serait impossible tant qu'il aurait son journal. Celui-ci représentait son dernier lien avec elle, mais aussi la clé de mystères qu'il n'avait jamais tenté de résoudre. Avec les poèmes, c'étaient les seuls souvenirs d'elle qu'il tenait à conserver.

3

L'avion atterrit à San Francisco à l'heure, et Quinn passa rapidement la douane. Malgré une longue absence, il n'avait rien à déclarer, et c'est la mine grave qu'il récupéra sa valise et sortit de l'aéroport pour prendre un taxi. Il répugnait d'autant plus à retrouver sa maison vide qu'il s'était rendu compte pendant le vol que son retour tombait juste avant Thanksgiving. Il n'y avait pas songé plus tôt, mais l'aurait-il fait que cela ne l'aurait avancé à rien : il n'avait aucune raison de rester en Europe, surtout après le refus d'Alex de le voir.

Elle s'était montrée polie, mais ferme. Ses accès de colère n'avaient eu lieu que juste avant et après l'enterrement de Jane. Depuis, leurs rapports étaient distants, formels et glacials. A sa manière, sa fille était aussi têtue que lui. Jane en avait souvent discuté avec elle, mais sans parvenir à la faire changer d'avis. Alex ne cessait de clamer haut et fort que Quinn n'avait jamais été là pour aucun d'entre eux, pas même quand Doug était mort. En quoi elle n'avait pas tort. Alors à Bangkok, où il concluait une affaire importante, il était rentré dès qu'il avait appris la nouvelle, mais était reparti le lendemain des funérailles. En tout et pour tout, il était resté trois jours à la maison, laissant Alex et Jane pleurer seules et se raccrocher l'une à l'autre pour surmonter leur douleur.

Il était resté absent un mois, pour boucler une transaction énorme qui avait fait la une du *Wall Street Journal*. Il était revenu brièvement à San Francisco, pour disparaître deux mois à Hong Kong, Washington, Londres, Paris, Pékin, Berlin, Milan et New York. A présent qu'elle était adulte, Alex affirmait qu'elle avait très peu de souvenirs de son père, et qu'elle ne se rappelait pas avoir jamais échangé plus de quelques mots avec lui. Chaque fois qu'il rentrait, il était trop occupé, trop pris par son travail ou trop épuisé par le décalage horaire pour s'intéresser à elle et à Jane. Et pour finir, il l'avait privée de faire ses adieux à sa mère. Quinn avait entendu ces reproches plus d'une fois et ne pouvait les oublier. Il lui était impossible de nier les faits et de récuser le portrait peu flatteur qu'elle avait dressé de lui, tout simplement parce qu'elle avait raison. L'homme qu'elle décrivait était bien celui qu'il avait été jusqu'à sa retraite. Et peu importait qu'il ne fût plus le même à présent. Alex refusait de reconnaître qu'il ait pu changer.

Quinn avait tenté de se racheter auprès de Jane et estimait y être en partie arrivé au cours de leurs dix-huit derniers mois ensemble. Mais il en allait différemment avec Alex. Il ne lui avait pas échappé qu'elle s'était choisi pour mari un banquier suisse qui ne quittait la maison que pour se rendre à son bureau. Elle l'avait rencontré à l'université Yale, où tous deux faisaient leurs études, et l'avait épousé dès qu'ils avaient eu leurs diplômes, treize ans plus tôt. Ils avaient deux garçons, vivaient à Genève, et Quinn avait très vite fait remarquer à Jane que c'était Alex qui imposait ses volontés à Horst. Inséparables, ils semblaient heureux et assurés d'un avenir tranquille, même si Quinn trouvait son gendre et la vie qu'il menait particulièrement ennuyeux. Alex avait pris soin de ne pas tomber dans le même piège que sa mère et avait jeté son dévolu sur un homme faible, à la personnalité diamétralement opposée à celle de son père. Horst ne voyageait presque jamais et travaillait dans la banque fondée par son grand-père. C'était quelqu'un de responsable, qui adorait sa femme et ses fils, et ne nourrissait pas de grandes ambitions. En l'épousant, Alex était certaine qu'il ne la sacrifierait jamais à sa carrière. Et, de l'avis de Quinn, elle pouvait l'être d'autant plus que Horst n'avait pas la moindre passion. Il se contentait d'exister, ce qui était tout ce qu'Alex lui demandait.

Agés de six et neuf ans, leurs enfants étaient de beaux petits garçons aux yeux bleus et aux cheveux blonds, comme Alex, mais Quinn les connaissait à peine. Jane s'était souvent rendue à Genève pour les voir et Alex les emmenait à San Francisco une fois par an, mais Quinn était rarement là lorsqu'elle venait. Avec le recul, il comprenait la colère de sa fille, mais déplorait qu'elle refuse de lui pardonner ses fautes, réelles ou non. De son point de vue à elle, ce n'était pas un, mais deux parents qu'elle avait perdus. Quinn était mort dans son cœur bien avant que Jane ne soit emportée par la maladie. Ajouté à la blessure toujours à vif causée par la disparition tragique de son frère lorsqu'elle avait onze ans, tout cela expliquait qu'elle soit très protectrice vis-à-vis de ses enfants, malgré les efforts de son mari pour leur accorder un peu plus de liberté. Elle était persuadée de savoir mieux que lui comment les élever, et elle détestait les voiliers, refusant même que ses fils y montent un jour.

Jane non plus ne les aimait pas, mais Quinn supposait qu'elle aurait été heureuse pour lui si elle avait su qu'il s'en était offert un. Elle avait toujours placé son bonheur au-dessus de tout. Désormais, songeait-il, c'était fini. Alex ne se souciait plus de lui depuis longtemps et il se retrouvait donc seul au monde. Ecrasé par le poids de sa solitude, il sortit du taxi qui venait de le déposer dans Vallejo Street, dans une impasse bordée d'arbres masquant en partie la maison où Jane et lui avaient vécu. Il avait voulu en acheter une plus grande à mesure que sa fortune grandissait, mais Jane avait objecté qu'elle adorait celle-là. Et Quinn devait bien avouer que lui aussi, du moins tant que sa femme avait été là pour l'accueillir. En tournant la clé, aujourd'hui, il savait que seul le silence l'attendait à l'intérieur, et cela le terrifiait.

Il posa ses bagages dans l'entrée et perçut le tic-tac d'une horloge dans le salon. Le bruit le transperça comme la lame d'un couteau. Jamais il ne s'était senti aussi seul et désemparé. Il n'y avait pas de fleurs, les rideaux étaient tirés, les stores baissés, et les lambris en bois foncé du séjour donnaient à la pièce des allures de tombeau. Il ne se rappelait pas que la maison lui ait jamais semblé si sombre et lugubre. Sans réfléchir, il s'approcha des fenêtres, écarta les rideaux et remonta les stores, afin de contempler le jardin. Les arbres et les haies étaient encore verts, mais il n'y avait plus de fleurs. C'était un triste après-midi de novembre.

Le brouillard était tombé au moment où son avion atterrissait et il enveloppait à présent toute la ville. Le ciel était aussi gris que son humeur, lorsqu'il prit ses bagages pour les porter à l'étage. Quand il entra dans la chambre et vit leur lit, son cœur s'arrêta. C'est là que Jane était morte dans ses bras, cinq mois plus tôt. La douleur le submergea tandis qu'il le fixait. A côté, se trouvait une photo d'elle souriant. Il s'assit en pleurant sur le lit. Il avait commis une erreur en revenant chez lui, mais il n'y avait que lui pour trier les affaires de Jane – et aussi les siennes, s'il décidait de vendre la maison au printemps. Il savait qu'il avait du travail. La bâtisse était en bon état, mais Jane et lui y avaient passé trente-sept ans. Presque une vie. Il fallait donc inévitablement effectuer quelques réparations et repeindre certaines pièces. Il allait faire venir quelqu'un pour avoir une idée plus précise des travaux à réaliser.

Sa première nuit à San Francisco fut un calvaire. Jane lui manquait tant qu'il eut envie par moments de quitter en courant la maison, juste pour fuir ce vide insupportable. Mais il n'y avait aucune échappatoire. Il devait affronter la réalité. Désormais il était seul à jamais, sans personne avec qui parler, et il savait qu'il le méritait.

Cette nuit-là, il refit le même rêve que si souvent avant son départ. Jane avançait vers lui, les bras tendus, en pleurs, l'air désespérée. Ses plaintes, d'abord inaudibles puis de plus en plus claires et précises, étaient toujours les mêmes, à quelques variations près, et le bouleversaient. Elle le suppliait de ne plus partir, de ne plus l'abandonner. A chaque fois, il lui promettait de rester mais, comme dans un cauchemar, il finissait par prendre sa valise et par s'en aller. Et alors, il ne voyait plus que Jane, le visage inondé de larmes. Lorsqu'il se réveillait, en proie à la panique la plus totale, il lui semblait l'entendre encore pleurer et ses paroles résonnaient longtemps dans sa tête. « Quinn, ne me laisse pas... Quinn, s'il te plaît... » Comment avait-il pu agir ainsi ? Pourquoi s'était-il absenté si souvent ? Pourquoi son ambition lui avait-elle toujours paru plus importante que tout le reste ? Pourquoi ne l'avait-il pas écoutée ?

Après un tel rêve, les raisons de ses déplacements tout comme l'empire qu'il s'était employé à bâtir lui semblaient bien ridicules. Tout ce que ce cauchemar lui laissait était un sentiment écrasant de culpabilité et d'échec. Quinn le détestait d'autant plus que Jane y apparaissait tragique et tourmentée, alors que, dans la vie de tous les jours, elle s'était toujours montrée compatissante et compréhensive. Jamais elle ne s'était plainte ni ne lui avait fait le moindre reproche. Il savait que ses remords en étaient la cause, mais que son rêve revienne le hanter si vite après son retour à San Francisco le déprimait encore plus, rendant plus lourd encore le poids qui pesait sur sa conscience.

Le lendemain matin, après une bonne douche et une tasse de café serré, il retroussa ses manches et se mit au travail. C'était le seul moyen de chasser de son esprit son mauvais rêve de la nuit. Il commença par vider les placards du rez-de-chaussée, où Alex avait rangé ses souvenirs d'enfance. Durant des années, Jane avait demandé à leur fille de les emporter chez elle, en Suisse, mais elle préférait les laisser chez ses parents. Il y avait là des trophées et des médailles gagnés à l'époque où elle faisait du cheval et du tennis ; des photos de ses amis, depuis la maternelle jusqu'à l'université, que Quinn n'avait jamais vues pour la plupart ; des cassettes, des vidéos, quelques vieilles poupées, un ours en peluche et une boîte fermée avec du scotch. En l'ouvrant, il découvrit qu'elle était remplie de photos de Doug et d'Alex, riant, souriant et faisant les pitres devant l'objectif. A côté, se trouvait un paquet de lettres jaunies que Doug avait envoyées à Alex, l'été où il était allé en camp de vacances dans le Maine. Comme guidé par une force inconnue, Quinn en ouvrit une et constata avec stupéfaction qu'elle était datée du jour de la mort de son fils. Celui-ci avait écrit à sa sœur quelques heures seulement avant l'accident qui lui avait coûté la vie. Les larmes lui montèrent aux yeux en la lisant, et il comprit soudain la douleur que Jane et Alex avaient ressentie, et que lui s'était toujours interdit d'éprouver, préférant s'en tenir éloigné.

Doug avait été un garçon beau, gentil, intelligent et facile à vivre, qui lui ressemblait beaucoup physiquement, mais qu'il avait toujours tenu à distance. Il pensait qu'ils se rapprocheraient « plus tard », une fois Doug devenu adulte. Au lieu de quoi, l'adolescent lui avait glissé entre les doigts. A l'époque, Quinn ne l'avait pas assez pleuré. Admettre qu'il avait laissé passer sa chance de mieux le connaître aurait été trop douloureux et il avait fui afin de ne pas se sentir coupable. Tout ce qui lui rappelait son fils était comme une accusation silencieuse et il avait insisté pour que Jane fasse disparaître les affaires de Doug le plus vite possible. C'était pour son bien à elle, avait-il affirmé. Conserver sa chambre en l'état, tel un mausolée, n'aurait pu que la faire souffrir davantage. Et lorsqu'il était parti pour Hong Kong, il lui avait fait promettre de se débarrasser de tout. En épouse dévouée, Jane avait obéi, pour lui faire plaisir. Dieu seul savait combien il lui en avait coûté.

Le lendemain, Quinn retrouva toutes les affaires de Doug dans une réserve, derrière le garage. Ses vêtements, ses tenues de sport, ses trophées. Tout était là. Durant vingt-trois ans, Jane avait conservé tout ce qui avait appartenu à leur fils, y compris ses sous-vêtements. Elle avait même caché trois de ses pulls au fond de sa penderie, comme Quinn le découvrit un peu plus tard.

Chaque jour, il se trouva confronté à de nouveaux souvenirs et à de nouvelles prises de conscience, rendant sa peine plus vive et accentuant son sentiment de culpabilité. C'est ainsi que Thanksgiving arriva presque sans qu'il s'en rendît compte. Il se fit un devoir d'appeler Alex, bien qu'elle ne célébrât pas cette fête à Genève, mais elle le remercia si froidement que, découragé, il ne demanda pas à parler à Horst et aux enfants. Le message de sa fille était clair. Reste à l'écart. Nous n'avons pas besoin de toi. Laisse-moi tranquille.

Il n'eut aucune envie de préparer une dinde ce jour-là, puisqu'il n'avait personne avec qui la partager, et ne prévint aucune de ses connaissances qu'il était revenu. Si pénible que fût la tâche qu'il avait entreprise chez lui, il savait qu'il aurait été plus douloureux encore de sortir et de voir du monde. Jane avait été le moteur de sa vie sociale. C'était elle qui prenait des nouvelles de leurs amis, qui les recevait régulièrement et qui l'incitait parfois à s'arrêter un peu pour profiter d'une soirée tranquille avec eux. La plupart du temps, il avait accepté. Pour elle. Mais depuis qu'elle n'était plus là, il préférait la solitude. Il n'avait pas envie de voir du monde, car il savait que cela rendrait l'absence de Jane encore plus tangible.

Le jour, il triait, rangeait, nettoyait. Le soir, il se couchait, épuisé, et relisait le journal et les poèmes de Jane. Il avait ainsi l'impression de se couler en elle, comme si tout ce qu'elle avait pensé, éprouvé et chéri était peu à peu devenu une partie intégrante de lui-même. Comme si son âme s'était mêlée à la sienne pour ne plus en former qu'une. Jamais il ne s'était senti aussi proche d'elle que durant les quelques mois précédant sa mort, et il en était de même aujourd'hui, tandis qu'il redécouvrait ses robes du soir, les vêtements qu'elle mettait pour jardiner, ses chemises de nuit, sa lingerie, ses pulls préférés. Et de même qu'elle avait conservé quelques-uns des vêtements de Doug au fond de son placard, Quinn se surprit à mettre de côté des choses auxquelles elle avait tenu et qu'il avait soudain envie de garder. Il ne pouvait se résoudre à s'en débarrasser et ne comprenait que trop bien ce qu'elle avait dû ressentir lorsqu'il avait insisté pour qu'elle vide la chambre de Doug. Ironie du sort, il se retrouvait maintenant dans la même situation qu'elle et acceptait la souffrance comme une juste punition de ce qu'il lui avait fait subir à l'époque.

A la mi-décembre, un semblant d'ordre commença à apparaître au milieu du fatras qu'il avait sorti des placards et des penderies. Il avait séparé les affaires à jeter de celles à conserver, et entassé des cartons partout dans le salon. Sa seule distraction se résumait aux appels qu'il passait chaque semaine à Tem Hakker. Celui-ci le rassurait en lui affirmant que les travaux avançaient et que le bateau serait prêt dans les délais prévus. Bob Ramsay lui avait même écrit pour le féliciter et lui faire part de son soulagement de ne plus avoir à se préoccuper du voilier. Quinn pouvait donc continuer son travail de rangement, qui lui apportait finalement une certaine satisfaction. Vider sa maison était devenu une sorte de rituel sacré qui lui permettait d'être en communion avec Jane et de la sentir toute proche. Il rêvait toujours autant d'elle et elle était présente dans toutes ses pensées.

Il avait découvert des milliers de photos prises au début de leur mariage, lorsque Alex et Doug étaient petits, au cours de leurs vacances, d'occasions importantes, ou, plus récemment, de leurs derniers voyages. Jane avait également conservé tous les articles de journaux qui parlaient de lui et constitué ainsi près de quarante années d'archives, soigneusement classées par ordre chronologique. Certaines coupures de presse étaient devenues si fragiles qu'elles s'effritèrent sous ses doigts. Tout montrait le respect et l'admiration qu'elle avait eus pour lui, mais à voir sa réussite professionnelle étalée ainsi sous ses yeux, Quinn mesurait de nouveau combien il avait été égoïste. Absorbé par sa carrière, il n'avait pas vu l'amour que Jane lui portait, lui pardonnant ses fautes et l'excusant sans cesse auprès des enfants. A tous égards, elle avait été merveilleuse et admirable.

Bien qu'il ne fût pas très pratiquant, Quinn alla à la messe le matin de Noël et alluma un cierge en mémoire de Jane. Il savait qu'elle aurait aimé cela. N'en avait-elle pas allumé des centaines pour Doug, au fil des ans ? Chaque fois qu'elle avait un souci ou qu'elle s'inquiétait pour quelqu'un, elle se rendait à l'église et prenait un cierge. Lui qui l'avait souvent taquinée à ce sujet fut alors surpris de découvrir l'étrange apaisement que procuraient la chaleur et l'éclat d'une simple petite flamme. Lorsqu'il retourna chez lui, il se sentit rasséréné. Toutes les affaires qu'il souhaitait donner étaient maintenant dans des cartons et celles qu'il voulait garder étaient entreposées dans le garage en attendant d'être stockées quelque part, avec plusieurs beaux meubles anciens qu'il réservait à Alex. Lui-même doutait d'en avoir un jour l'utilité, car si tout se déroulait comme prévu, il passerait le restant de sa vie en mer.

Le soir de Noël, il s'autorisa un petit plaisir. Le mois qui venait de s'écouler avait été dur pour lui, et il déboucha une bouteille d'un grand vin rouge qu'il alla chercher dans sa cave. Il la but presque entièrement, puis avala deux cognacs, avant d'aller se coucher. Il se réveilla avec la gueule de bois, mais cela ne l'empêcha pas de se sentir ragaillardi. Il était heureux de voir l'année se terminer. Il passa la soirée du nouvel an à examiner des documents que son avocat devait remettre au tribunal chargé de l'homologation des successions. Il les étudia durant plusieurs heures, tandis que dehors la pluie battait les carreaux et que le vent sifflait dans les branches. A minuit, il jeta un coup œil par la fenêtre et constata que les arbres les plus jeunes ployaient presque jusqu'au sol sous la force des bourrasques. Il ne s'inquiéta pas outre mesure. S'il avait allumé la télévision, il aurait appris que le nord de la Californie connaissait sa plus grosse tempête depuis plus d'un siècle et que tout le comté de Marin ainsi que le sud et l'est de la baie de San Francisco étaient privés d'électricité.

Il dormait profondément, lorsqu'un fracas épouvantable le réveilla en sursaut, suivi presque aussitôt de deux autres. Il se leva en toute hâte et découvrit avec effroi que le plus gros arbre de son jardin était tombé sur la maison. Vêtu seulement de son pyjama et d'un imperméable, il courut évaluer les dégâts, qui étaient considérables. Dans sa chute, l'arbre avait arraché une partie du toit. En rentrant dans la maison, il constata qu'il y avait un trou béant dans le plafond du salon, à l'endroit où celui-ci formait une avancée par rapport au reste de la bâtisse, et que la pluie s'y engouffrait. Aussi se dépêcha-t-il de pousser les meubles et d'ôter les tapis afin qu'ils ne soient pas abîmés. Il ne parvint pas à identifier la cause des deux autres bruits qu'il avait entendus. Aucun autre arbre n'avait été déraciné dans son jardin et, à l'exception du salon, il ne semblait pas y avoir d'autres dommages.

Il retourna se coucher, mais fut incapable de se rendormir, tendant l'oreille au moindre craquement suspect. Il pleuvait encore lorsqu'il se leva au petit matin. C'est là qu'il prit conscience de l'ampleur du sinistre. Le trou dans la toiture était énorme, plusieurs volets avaient été arrachés et deux grandes vitres brisées. Des éclats de verre et des débris divers jonchaient le sol un peu partout. Le garage avait beaucoup souffert et était inondé. Par chance, Quinn avait entassé les cartons sur de grandes tables en bois, si bien que rien n'avait été abîmé. Il décida cependant de les mettre à l'abri dans la cuisine. Le salon, lui, était dévasté, malgré les seaux qu'il avait posés sur le sol pour empêcher l'eau de tout endommager. Une grosse branche pendait dans la pièce, et une partie des lambris s'étaient détachés sous l'impact. Un peu plus tard, Quinn apprit dans le journal qu'une douzaine de personnes étaient mortes au cours de la nuit, la plupart écrasées par des lignes à haute tension ou des arbres, et que de nombreux blessés étaient à déplorer dans tout l'Etat. Des quartiers entiers avaient été inondés, contraignant des milliers de personnes désormais sans abri à se réfugier dans des gymnases. Jamais on n'avait vu une tempête d'une telle violence.

Ce matin-là, alors qu'il effectuait un nouvel aller-retour entre son garage et sa cuisine, les bras chargés de cartons, Quinn tourna par hasard la tête vers le jardin de ses voisins et comprit alors l'origine du fracas qui l'avait réveillé pendant la nuit. Deux arbres y étaient tombés et, bien que moins gros que le sien, ils avaient eux aussi provoqué des dégâts considérables. Une femme de petite taille, qui contemplait le désastre d'un air anéanti, leva les yeux vers lui au même moment.

— Moi, mon toit a été éventré, dit-il. Ça s'est passé à 4 heures du matin, et j'ai entendu deux autres gros craquements, juste après. J'imagine que ce devait être vos arbres.

Elle hocha la tête, sans un mot.

— Les dommages sont importants ? demanda-t-il.

— J'ai encore du mal à les évaluer, mais je crois que oui. La maison fuit de partout et ma cuisine ressemble aux chutes du Niagara.

Elle paraissait perdue et effrayée. Quinn savait que la propriété à côté de la sienne avait été vendue juste après la mort de Jane, mais il n'avait jamais rencontré ses nouveaux occupants et ignorait jusqu'à leur nom. A vrai dire, il ne s'intéressait pas à eux. Mais il était navré pour elle. De plus, elle semblait devoir faire face à la situation toute seule, et cela le fit penser à Jane, qui s'était toujours chargée de tous les tracas et soucis domestiques en son absence. Il supposa que son mari était comme lui autrefois, c'est-à-dire un homme obligé de voyager en permanence, y compris le 1er janvier. Lui-même avait passé plus d'un nouvel an à l'étranger, seul dans une chambre d'hôtel.

— Il me reste quelques seaux, si vous voulez, offrit-il.

Ils ne pouvaient rien faire d'autre pour le moment, surtout un jour comme celui-là, et il se doutait que tous les artisans seraient pris d'assaut et débordés le lundi matin.

— Il me faudrait plutôt un charpentier, répondit-elle. J'ai emménagé au mois d'août et les anciens propriétaires m'avaient assuré que la toiture était solide. J'aimerais beaucoup leur envoyer une photo de la cuisine pour leur montrer ce qu'il en est. C'est une piscine maintenant.

La tempête avait brisé la moitié de ses vitres. Sa maison était plus exposée que celle de Quinn, et moins bien bâtie. Il savait qu'elle avait changé de mains plusieurs fois en douze ans, mais n'avait jamais vraiment prêté attention à ses occupants, contrairement à Jane, qui leur avait à chaque fois souhaité la bienvenue. Une chose était sûre cependant : il n'avait jamais vu cette femme ni son mari. Elle essayait d'ôter les branches jonchant son allée, la mine désespérée. Il pleuvait encore à torrents et le vent soufflait toujours très fort, même s'il avait perdu en intensité depuis le lever du jour. Autour d'eux, les dégâts ressemblaient à ceux causés par les ouragans dans les Caraïbes ou les typhons en Inde. Jamais il ne se serait attendu à voir un tel spectacle à San Francisco. Tout le long de la rue, les gens s'efforçaient d'écarter les arbres déracinés, de ramasser les débris et de rafistoler ce qui pouvait l'être.

— Je vais appeler les pompiers pour qu'ils viennent bâcher mon toit. Voulez-vous que je leur demande d'examiner le vôtre ?

Cela lui semblait la moindre des choses, et elle acquiesça avec reconnaissance.

— Je doute que cela soit très utile, dit-elle cependant d'une voix lasse qui trahissait son désarroi face à la situation.

Quinn se sentait aussi démuni qu'elle. Il avait l'impression que Jane aurait été bien plus efficace à sa place, mais il n'avait pas le choix. Il devait se débrouiller seul, maintenant.

— Ils pourront au moins vous conseiller, assura-t-il. Je leur demanderai d'apporter plusieurs bâches, au cas où.

Puis il se souvint soudain de ses bonnes manières et tendit une main par-dessus la haie.

— Au fait, je m'appelle Quinn Thompson.

— Et moi, Maggie Dartman.

Sa main, quoique petite, ne manquait pas d'énergie. Vêtue d'un jean et d'une parka, elle avait de longs cheveux bruns coiffés en une natte qui lui tombait jusqu'au bas du dos, et elle était si trempée que Quinn eut pitié d'elle. Très pâle, elle avait de grands yeux verts pleins de tristesse, ce qui n'avait rien d'étonnant. Lui aussi était navré des conséquences de cette tempête.

— Quel dommage que votre mari ne soit pas là, lui dit-il avec compassion.

Maggie le regarda bizarrement en se retenant à l'évidence de dire quelque chose, mais il n'y prêta pas attention. Elle avait l'air d'avoir à peine quarante ans, et comme il ne voyait pas d'enfants autour d'elle, il se demanda si elle n'était pas plus jeune encore. Peut-être n'en avait-elle pas. Après tout, aujourd'hui, beaucoup de gens repoussaient le moment de devenir parents.

Peu après, Quinn la laissa pour aller téléphoner aux pompiers. Ils étaient submergés et lui répondirent qu'ils passeraient une heure ou deux plus tard. En retournant au garage chercher son dernier carton, Quinn l'annonça à Maggie.

— Merci beaucoup ! lança-t-elle en se débattant avec une grosse branche qui encombrait son allée.

A la voir trempée jusqu'aux os, il songea à lui offrir un vieil imperméable de Jane qu'il projetait de donner à des organisations caritatives, mais se ravisa. Il était inutile de se montrer trop amical. Le comportement poli mais très réservé de Maggie ne l'y encourageait pas, et elle aussi ne tarda pas à rentrer chez elle. Quinn n'aurait pu le jurer, mais il lui sembla qu'elle pleurait. Il se demanda alors combien de fois Jane avait craqué en affrontant seule ce genre de coups durs. Et, une fois de plus, il fut écrasé de culpabilité.

4

Les pompiers bâchèrent son toit, puis passèrent chez sa voisine. La tempête s'apaisa enfin dans la soirée, mais partout les dégâts étaient très importants et, le lundi matin, tous ceux qui en avaient subi les conséquences appelèrent les artisans pour faire effectuer les réparations les plus urgentes. C'est ce que fit Quinn, après avoir trouvé les noms d'un couvreur et d'un entrepreneur sur une liste que Jane conservait dans la cuisine. Il eut alors la mauvaise surprise d'entendre son premier interlocuteur éclater de rire en l'écoutant.

— Voyons, lui expliqua celui-ci, l'air épuisé mais de bonne humeur. Vous êtes le quarante-huitième à m'appeler ce matin. Si tout va bien, je devrais pouvoir m'occuper de votre toit en août.

— Vous plaisantez, j'espère, répliqua Quinn d'un ton sec.

La situation ne l'amusait franchement pas. Tout ce qui concernait la maison incombait d'ordinaire à Jane, et à présent qu'il devait y faire face, il réalisait à quel point c'était une corvée. Il avait composé les numéros des deux artisans une douzaine de fois au moins avant de réussir à les joindre. Tous ceux qui avaient subi des dommages étaient aussi pressés que lui.

— J'aimerais bien, dit le couvreur, mais je ne serai pas libre avant cette date.

Il indiqua à Quinn quatre collègues, auprès desquels il pouvait tenter sa chance. L'entrepreneur fit de même en lui conseillant deux entreprises réputées, ainsi qu'un jeune charpentier du nom de Jack Adams, qui s'était mis à son compte quelques mois plus tôt et qui, selon lui, travaillait bien. Sans surprise, les deux entreprises refusèrent, elles aussi. Il n'avait toujours pas trouvé de charpentier et commençait à s'énerver. Il se décida alors à appeler Jack Adams.

Il tomba sur son répondeur et lui laissa un message. Le dernier couvreur qu'il réussit ensuite à contacter accepta de venir le lendemain matin, mais le prévint qu'il ne pourrait pas commencer avant sept ou huit semaines. Pour Quinn, cela signifiait qu'il allait devoir vivre avec un trou béant dans son salon pendant une longue période, ce n'était pas ainsi qu'il avait prévu de passer ses derniers mois à San Francisco.

Jack Adams le rappela à 20 heures, s'excusant de le déranger si tard, et lui expliquant qu'il avait passé la journée à évaluer les dégâts causés par la tempête. Il s'exprimait avec simplicité, d'un ton très professionnel, et proposa de venir à 7 heures le lendemain, si cela convenait à Quinn. Celui-ci accepta aussitôt.

— Je dois faire un saut chez des amis, expliqua le charpentier. Ils viennent d'avoir un bébé et toutes les vitres de leurs chambres ont été brisées. Je veux m'en occuper avant de m'attaquer à de plus gros chantiers. Comme vous êtes sur mon chemin, j'en profiterai pour m'arrêter chez vous, si ça ne vous ennuie pas que je passe aussi tôt.

— Vous êtes déjà pris chez d'autres ? demanda Quinn.

Tous les artisans qu'il avait joints par téléphone ne pouvaient pas venir avant trois ou six mois, et il commençait à désespérer. Jamais il n'arriverait à vendre la maison dans l'état où elle était.

— Pas encore. J'ai vu plusieurs clients potentiels aujourd'hui, mais je n'ai signé aucun contrat pour le moment. Je n'aime pas avoir trop de chantiers à la fois. Par ailleurs, la plupart des gens préfèrent travailler avec de grosses entreprises parce qu'elles ont des équipes importantes. Je fais appel à trois aides quand j'en ai besoin, mais j'essaie de me débrouiller seul le plus souvent possible. Ça me permet de tout contrôler et de baisser mes frais, même si le chantier dure un peu plus longtemps. Et puis, ça m'évite aussi d'avoir à corriger les erreurs des autres. Mais attendons que je passe chez vous, monsieur Thompson. Je vous dirai alors ce que je peux faire pour vous.

— Parfait, répondit Quinn.

Même un rendez-vous à 5 heures du matin lui aurait convenu, s'il n'y avait pas eu d'autre solution. Et Jack Adams lui faisait une très bonne impression. Il semblait franc, honnête et sérieux.

— Je connais un gars très bien avec qui je travaille à San Jose, dit Jack lorsque Quinn lui eut raconté ses difficultés à trouver un couvreur. Je l'appellerai ce soir pour savoir s'il est débordé. Il pourrait peut-être vous consacrer deux ou trois semaines. Je vous tiendrai au courant, en tout cas.

Quinn le remercia vivement et raccrocha en espérant pouvoir se décharger entièrement sur lui. Peut-être lui confierait-il d'ailleurs les petits travaux qu'il comptait entreprendre avant de mettre la maison en vente.

En se couchant ce soir-là, pour une fois il ne relut ni les poèmes ni le journal de Jane. Il ne pensait qu'à ce qu'il allait donner à faire à Jack Adams et il s'endormit très vite. Le lendemain, il se réveilla frais et dispos à 6 heures. Après avoir enfilé un jean, un gros pull et des bottes, il descendit se préparer un café. Il finissait sa deuxième tasse lorsque Jack Adams sonna à sa porte. Le charpentier était pile à l'heure. Les cheveux bruns et courts, les yeux bleus, il émanait de lui une impression d'honnêteté et de gentillesse. Quinn lui proposa une tasse de café, mais il refusa, préférant se mettre au travail le plus vite possible. Tous deux commencèrent alors un tour de la maison, du salon au garage, s'arrêtant partout où la tempête avait causé des dommages. Jack Adams n'avait pas de carnet et ne notait rien, ce qui inquiéta Quinn, mais il s'aperçut rapidement que le charpentier mémorisait tout dans les moindres détails. Si ce type était aussi doué qu'il en avait l'air, songea-t-il, il n'avait plus aucun souci à se faire.

Jack Adams était grand et mince, devait avoir dans les trente-cinq ans et avait une étrange ressemblance avec Quinn. Quiconque les aurait aperçus côte à côte aurait pensé qu'ils étaient père et fils. Quinn avait à présent les cheveux grisonnants, mais autrefois il avait été aussi brun que Jack. Ils possédaient la même carrure, la même démarche et presque les mêmes attitudes. Jack avait à peu près l'âge que Doug aurait eu s'il avait vécu, et Doug lui aurait certainement beaucoup ressemblé. Mais Quinn ne pouvait pas s'en rendre compte. A ses yeux, son fils aurait toujours treize ans.

— Combien de temps faudra-t-il, à votre avis ? s'enquit-il tandis qu'ils retournaient à la cuisine pour boire un café.

Jack réfléchit un instant. Les dégâts étaient bien plus importants qu'il ne le pensait, et Quinn lui avait parlé d'autres travaux à effectuer pour remettre la maison en état avant de la vendre. Avec la tempête, il avait une douzaine d'autres propositions de chantiers, mais il préférait s'en tenir à un seul, surtout qu'il semblait y avoir beaucoup de choses à faire chez Quinn, dont certaines très intéressantes. Son ami de San Jose avait accepté de s'occuper du toit et devait arriver dans deux jours. Quinn avait été soulagé en l'apprenant.

— Ça dépend, dit-il après avoir avalé une gorgée de café. Je compterais entre deux et trois mois, selon le nombre de personnes qui viendront m'aider. Il y en a deux à qui j'aimerais faire appel, au moins au début. Je me chargerai des finitions moi-même. Il faudrait que nous soyons trois durant les deux premiers mois, ou éventuellement deux, et moi tout seul à la fin. Qu'en pensez-vous ?

— Cela me semble parfait. Vous superviserez la réparation du toit aussi ?

Quinn n'avait aucune envie de jouer les contremaîtres, mais cela ne dérangeait pas du tout Jack. D'abord parce qu'il en avait l'habitude, ensuite parce qu'il était tout à fait compétent et que les hommes auxquels il prévoyait de s'adresser appréciaient de travailler avec lui.

— Je m'occuperai de tout, monsieur Thompson. C'est mon boulot. Vous n'aurez qu'à signer les chèques, et je vous tiendrai informé de tout ce que nous entreprendrons.

Quinn en fut ravi. Jack lui faisait l'effet d'un garçon intelligent, digne de confiance et capable de diriger les opérations. Il donnait une telle impression d'assurance et de sérieux que Quinn voulait pouvoir compter sur ses services au plus vite. Il avait désespérément besoin de lui.

De son côté, Jack avait le sentiment que Quinn était quelqu'un de correct. C'était un homme d'affaires jusqu'au bout des ongles, habitué à donner des ordres et qui, devina-t-il, n'aimait pas qu'on l'ennuie avec des détails. En ce qui le concernait, cela ne posait aucun problème. Il se demanda juste s'il aurait affaire aussi à une Mme Thompson. Il avait aperçu plusieurs portraits d'une jolie femme d'âge mûr dans la maison, mais Quinn ne lui en avait pas parlé. Il semblait s'occuper de tout, peut-être pour des raisons pratiques. Quelle que fût sa situation, cependant, Jack estimait que cela ne le regardait pas. Par principe, il ne posait jamais de questions personnelles et s'en tenait à des rapports strictement professionnels.

— Quand pourrez-vous me donner un devis ? l'interrogea Quinn.

Avec une grosse entreprise, il savait que ces travaux lui auraient coûté une fortune, mais Jack était jeune, à son compte depuis peu et ne devait pas pratiquer des tarifs excessifs. Il sentait que le charpentier tenait à décrocher ce chantier et que les travaux à faire lui plaisaient.

— Vous l'aurez cet après-midi, répondit Jack après avoir regardé sa montre.

Il allait essayer de terminer dans la journée les réparations chez ses amis et être ainsi disponible pour Quinn.

— Si vous voulez, je vous le déposerai ce soir, ajouta-t-il. Une de mes amies s'occupe de mes papiers, ce qui me permet de me consacrer entièrement à mes différents chantiers. Je vais l'appeler pour qu'elle le prépare et je vous l'apporterai après. D'accord ?

— Très bien. Et si cela vous arrange, elle peut me le faxer.

Quinn écrivit son numéro de fax et le donna à Jack qui le glissa dans la poche de sa veste, puis tous deux se serrèrent la main.

— J'espère que nous allons nous entendre, monsieur Thompson.

— Je l'espère aussi, répondit simplement Quinn en souriant.

Jack lui plaisait beaucoup avec son air franc, ses manières engageantes, sa rapidité d'esprit et sa façon de voir les travaux. Cette rencontre était la meilleure chose qui lui fût arrivée depuis la tempête qui avait frappé San Francisco.

Quelques minutes plus tard, le charpentier prit congé de lui et s'éloigna au volant de sa camionnette. Immensément soulagé, Quinn passa alors un coup de fil à Tem Hakker, afin de savoir où en était le bateau. Dans le même temps, et aussi étrange que cela puisse paraître, il se demanda si Jack aimait naviguer et s'il s'y connaissait en voiliers.

5

Jack Adams revint le lendemain et se mit aussitôt au travail. Comme promis, il avait faxé le devis à Quinn, et celui-ci, l'ayant trouvé très raisonnable, l'avait tout de suite accepté. Le jeune charpentier arriva avec deux compagnons qui ne perdirent pas de temps eux non plus pour se mettre à l'œuvre. Très discrets, ils se contentaient de saluer Quinn lorsqu'ils le voyaient et ne traitaient jamais directement avec lui. Le couvreur se présenta à la fin de la semaine pour s'occuper du toit. Il constata alors que l'arbre avait causé plus de dégâts qu'ils ne l'avaient supposé. Il en discuta avec Jack et Quinn, mais il n'y avait pas tellement de solutions. Il fallait que le toit soit réparé et Quinn n'avait pas envie de faire des économies de bouts de chandelle. Il voulait que le travail soit bien fait, quel qu'en soit le prix, alors même qu'il allait mettre la maison en vente. Cela renforça encore le respect que Jack avait pour lui. Celui-ci avait vite compris que Quinn Thompson était un client des plus agréables, à condition de se montrer honnête avec lui et de lui exposer les problèmes en toute franchise, en lui expliquant les solutions envisagées. Jack n'était ni un menteur ni un irresponsable, c'était un vrai professionnel, qui veillait à tenir Quinn régulièrement informé de l'avancée des travaux.

A la fin de la deuxième semaine, il s'apprêtait à faire le point avec lui, lorsqu'il le trouva à son bureau, plongé dans l'étude de plans.

— Vous vous faites construire une nouvelle maison ? s'enquit-il.

Il évitait en général les questions importunes, mais Quinn était si concentré sur ses papiers que cela l'intriguait. Sans compter qu'il semblait s'agir d'un projet d'envergure.

Quinn leva les yeux vers lui avec un sourire fatigué. Il avait passé beaucoup de temps sur des documents relatifs à la succession de Jane cette semaine-là et cela l'avait déprimé. Etudier les plans du bateau lui permettait de se détendre.

— Pas une maison, mais un voilier, répondit-il. Vous vous y connaissez en bateaux ?

— Pas du tout, avoua Jack en souriant. Je regarde souvent les régates qui ont lieu dans la baie, mais je n'ai jamais mis les pieds sur un bateau.

— Vous ratez quelque chose, vous savez, s'exclama Quinn en tournant les plans vers lui pour qu'il puisse les voir.

Jack étant très méticuleux, il était certain qu'il apprécierait la précision avec laquelle ils avaient été effectués.

— Il sera prêt cet automne, reprit-il. Je compte y vivre, après avoir vendu ma maison.

Jack hocha la tête en examinant les plans avec admiration.

— Où irez-vous ? demanda-t-il enfin avec intérêt.

— Partout. Dans le Pacifique Sud. Dans l'Antarctique. En Amérique du Sud. En Europe. En Scandinavie. En Afrique. Je peux aller n'importe où avec un tel bateau. Je l'ai acheté en novembre, la veille de mon retour ici.

— Il a l'air magnifique, commenta Jack sans la moindre pointe d'envie dans la voix.

Il respectait beaucoup Quinn et estimait qu'il méritait tout ce qu'il possédait.

— Il le sera, lorsqu'il sera terminé.

— Où est-il ?

La question amusa Quinn. Les mots Pays-Bas s'étalaient en gros sur le haut de la feuille, mais Jack semblait si fasciné par le voilier qu'il ne l'avait pas remarqué. Il ne pouvait l'en blâmer. Lui-même était déjà fou de son ketch et n'imaginait pas que l'on puisse avoir une autre réaction en le voyant.

— En Hollande, répondit-il.

— Vous y allez souvent ?

Jack était intrigué par Quinn. Tout chez celui-ci suggérait l'élégance, le pouvoir, le style. C'était un homme hors du commun pour lui.

— Je prévois de m'y rendre régulièrement jusqu'à ce que le bateau soit fini. Je tiens à tout superviser dans les moindres détails.

— Quand mettrez-vous votre maison en vente, alors ?

Ils en avaient déjà discuté, mais Quinn n'avait donné aucune date précise. A présent qu'il voyait les plans du yacht, Jack comprenait que ce départ, loin de constituer un vague projet, était en fait bien réel. Et il se l'expliquait beaucoup mieux depuis que, la semaine précédente, Quinn lui avait confié avoir perdu sa femme. Devinant que le sujet était très sensible, il avait mesuré ce jour-là combien son client devait se sentir seul chez lui.

— Je contacterai un agent immobilier dès que vous aurez terminé les réparations, ou au plus tard à la fin du printemps, répondit Quinn. Je suppose qu'il me faudra plusieurs mois avant de trouver un acquéreur, et je compte quitter San Francisco en septembre ou en octobre. Le voilier devrait être prêt, à ce moment-là.

— J'adorerais le voir. J'espère que vous passerez par ici.

Mais c'était justement ce que Quinn voulait éviter à tout prix. Il tenait à mettre le plus de distance possible entre lui et ces lieux qui lui rappelaient de trop douloureux souvenirs. Vivre dans la maison qu'il avait partagée avec Jane, dans la ville où ils avaient habité durant près de quarante ans, était un véritable déchirement pour lui. La nuit, il dormait mal et arpentait la maison comme une âme en peine, en souffrant du silence et du vide qui y régnaient. Penser à tout ce qu'il n'avait jamais fait pour elle ou avec elle pesait lourd sur sa conscience, et il était certain que la mer lui apporterait le répit auquel il aspirait.

— Si vous venez un jour en Europe, vous n'aurez qu'à venir le voir, dit-il en rangeant les plans.

Jack éclata de rire et lui avoua qu'un tel voyage lui paraissait aussi peu probable, et même aussi peu concevable, qu'une expédition dans l'espace.

— Merci, mais je crois que j'ai largement de quoi m'occuper ici, plaisanta-t-il. Cela dit, votre voilier semble vraiment superbe.

Quinn s'approcha alors d'une étagère remplie d'ouvrages traitant de la navigation, dont certains très anciens et très rares, et en sortit un lourd volume qu'il tendit à Jack. Il s'agissait d'une introduction à la voile, qui avait été sa bible lorsqu'il avait commencé à s'y intéresser.

— Vous y trouverez tout ce qu'il faut savoir sur les voiliers, Jack. Prenez-le.

— Je ne voudrais pas risquer de le perdre ou de l'abîmer, répondit Jack, l'air ennuyé.

Le livre lui paraissait très coûteux et, à en juger par son état, il avait beaucoup servi. L'idée de l'emprunter le gênait.

— Ne vous inquiétez pas. Feuilletez-le et vous me le rendrez quand vous l'aurez fini. Qui sait, vous aurez peut-être la chance de faire de la voile avec un ami, un jour. Ce bouquin vous apprendra tous les rudiments.

Jack s'en saisit avec soin et feuilleta quelques pages au hasard. Presque toutes étaient illustrées de croquis, de photos et de diagrammes accompagnés d'explications détaillées. Quinn avait toujours beaucoup tenu à ce livre. Il l'avait donné à lire à son fils avant qu'il ne parte en camp de vacances ce terrible été, et celui-ci en avait appris des passages entiers afin de l'impressionner. Ils avaient eu une grande conversation sur ce sujet, le genre de conversation qu'ils avaient rarement eue tous les deux et dont le souvenir lui était d'autant plus précieux qu'elle avait précédé de peu la mort de Doug.

— Vous en êtes sûr ? demanda Jack, l'air soucieux.

Quinn sourit en hochant la tête et, quelques instants plus tard, Jack repartit avec l'ouvrage sous le bras. Bien qu'on fût vendredi, il avait promis de revenir le lendemain matin. Ses trois compagnons travaillaient cinq jours par semaine, mais il avait été convenu qu'il viendrait aussi une partie du week-end. Il aimait travailler seul et s'occuper lui-même de certains détails. Il était encore plus consciencieux que Quinn l'avait imaginé, et les réparations avançaient vite et bien, même s'il y avait de quoi faire pour plusieurs mois encore.

Le samedi matin, Jack était déjà là lorsque Quinn se leva. Il pleuvait de nouveau, comme presque tous les jours depuis un mois, mais cela ne semblait pas gêner le jeune charpentier. Il avait l'habitude d'être dehors par tous les temps. Le seul ennui était que la pluie les empêchait de terminer le toit. Mais il y avait suffisamment à faire par ailleurs.

Quinn lut son journal et but son café, puis alla le trouver dans le garage. Lorsqu'ils ressortirent une demi-heure plus tard en discutant tranquillement, il aperçut sa voisine qui se débattait avec une énorme caisse qu'on avait livrée devant chez elle. Comme lors de la tempête, elle paraissait n'avoir personne pour l'aider et, en la voyant ainsi, Quinn songea à Jane et son cœur se serra. Durant toutes ces années, il n'avait jamais imaginé à quel point la vie avait dû être difficile pour elle, sans lui pour l'aider. Et cette pensée le rongeait en permanence. Maggie Dartman lui rappelait tout ce que Jane avait dû surmonter pendant que lui se consacrait à sa carrière.

Tandis que Quinn était plongé dans ses pensées, Jack franchit la haie qui les séparait de la maison de Maggie pour aller l'aider. En deux minutes, il réussit à ouvrir la caisse, qui contenait un meuble, et lui proposa de le porter à l'intérieur. Lorsqu'il revint quelques instants plus tard, il avait l'air embarrassé.

— Je ne sais pas ce que vous en pensez, Quinn, commença-t-il prudemment, mais elle m'a demandé si j'accepterais de faire quelques travaux pour elle. Quand je lui ai dit que j'avais un gros chantier en cours chez vous, elle m'a proposé de venir le dimanche, si cela ne me dérangeait pas. Ça ne me pose pas de problème, surtout que j'ai l'impression qu'elle a vraiment besoin d'aide. Elle ne semble pas avoir de mari.

— C'est probablement ce que les gens croyaient de Jane, soupira Quinn. Mais il faut que vous vous reposiez un peu, Jack. Vous ne pouvez pas travailler sept jours sur sept, vous allez vous user la santé, à force.

Il avait beaucoup de sympathie pour le jeune homme et ne tenait pas tellement à ce qu'il aille chez Maggie. Jack travaillait déjà le samedi, il était important qu'il se ménage un peu le dimanche.

— Ça ira, affirma Jack en souriant. Et j'avoue qu'elle me fait pitié. J'ai parlé un peu avec le facteur l'autre jour, et il m'a appris qu'elle avait perdu son fils, l'année dernière. Lui donner un petit coup de main ne lui fera pas de mal.

Quinn acquiesça en silence. Jack avait raison, mais il se garda de tout commentaire sur le drame vécu par Maggie. Il n'avait pas parlé de Doug à Jack et il ne voyait pas pourquoi il l'aurait fait. Que celui-ci soit au courant de la mort de Jane était déjà bien suffisant. Même si sa voisine et lui avaient un point en commun, il n'avait pas envie d'en discuter.

— Faites comme vous voulez, dit-il. Simplement, ne la laissez pas abuser de votre gentillesse.

Jack le rassura. Maggie ne lui avait pas du tout forcé la main. Elle avait remarqué avec quelle rapidité il travaillait et avait pensé qu'il pourrait effectuer de petites réparations chez elle. Pour le reste, elle s'était débrouillée seule et avait réussi à dénicher quelqu'un pour s'occuper des dégâts les plus importants, comme ceux du toit.

— Elle a l'air d'une femme bien, reprit-il. Parfois, il faut savoir rendre service, même s'il vous en coûte. De toute façon, le week-end je n'ai rien d'autre à faire que suivre les matches de foot à la télé.

C'était plus que ce dont Quinn pouvait se vanter, mais il se garda bien de l'avouer.

Le lendemain, il vit Jack aller et venir entre sa camionnette et la maison de Maggie Dartman. Alors qu'elle sortait de chez elle un peu plus tard, elle s'arrêta pour le remercier d'avoir autorisé Jack à venir, mais Quinn, qui ne tenait pas à être associé à leur arrangement, lui répondit que le charpentier était maître de son temps libre. Cependant il lui assura que c'était quelqu'un de très sérieux.

Une semaine s'écoula avant que Quinn se rappelle le livre qu'il avait prêté à Jack. Il lui demanda s'il avait eu le temps de le lire, mais le jeune homme secoua la tête en s'excusant. Il n'avait pas eu une minute à lui.

— Ça ne m'étonne pas, avec tout le boulot que vous abattez ici et chez ma voisine ! remarqua Quinn.

Il s'était exprimé sur le ton de la plaisanterie, mais Jack, visiblement gêné, changea vite de sujet. Quinn supposa qu'il s'en voulait de ne pas avoir ouvert l'ouvrage et n'insista pas davantage. Il pensait juste que cela le distrairait un peu mais réalisait qu'il avait trop de travail pour se plonger dedans. Il avait pourtant le sentiment, sans savoir pourquoi, que Jack pourrait devenir un excellent marin. Il s'était montré très intéressé par les plans du ketch. Et il serait heureux de lui apprendre les rudiments de la voile. Il espéra donc qu'il finirait par lire le livre et qu'il ne prétendrait pas simplement l'avoir fait.

Un après-midi de fin janvier, Quinn dressa la liste de tout ce qu'il comptait demander en plus à Jack pour améliorer la maison, ainsi que de tout ce qui était en cours, et sortit pour la lui remettre. C'était le premier jour de grand beau temps depuis des semaines et le toit était enfin réparé. Il voulait que Jack lui donne son avis sur ce qu'il envisageait mais celui-ci plia la feuille qu'il lui tendait et la glissa dans sa poche en promettant de l'étudier dans la soirée, ce qui l'irrita. Il détestait repousser ce qui pouvait être fait sur-le-champ et tenait à en discuter avec lui. Jack lui expliqua qu'il était trop occupé pour l'instant pour se concentrer correctement, mais qu'ils en reparleraient le lendemain.

Les travaux avancèrent particulièrement bien cet après-midi-là et, à la fin de la journée, Quinn, qui détestait le silence qui envahissait sa maison une fois tout le monde parti, l'invita à boire un verre de vin avec lui et en profita pour lui reparler de la liste. Le moment était idéal pour en discuter, selon lui. Jack hésita et tenta de s'esquiver mais sans succès. Quinn insista, jusqu'au moment où il eut l'impression de voir des larmes briller dans ses yeux. Il craignit alors de l'avoir offensé. Jack ne se laissait pas facilement démonter, y compris lorsque les choses n'allaient pas comme il le voulait, mais là, il semblait franchement contrarié – tellement même que Quinn s'attendit presque à ce qu'il rompe leur contrat.

— Je suis désolé, s'excusa-t-il aussitôt, je ne cherchais pas à vous mettre la pression. Vous devez être sur les rotules, après la semaine que vous venez de passer. Vous feriez peut-être mieux de vous reposer demain, non ?

Jack secoua la tête et lui lança un regard empreint d'une infinie tristesse. Quinn ne comprenait pas ce qui se passait, mais voir Jack dans cet état le bouleversait. On aurait dit que quelque chose venait de céder chez lui. Pas un seul moment, pourtant, il n'avait voulu blesser cet homme qu'il était venu à respecter et à aimer. Ce qui suivit prit Quinn complètement au dépourvu. Posant doucement son verre, Jack commença à lui raconter sa vie. C'était comme si un barrage s'était rompu en lui, empêchant tout retour en arrière.

— Mes parents m'ont abandonné dans un orphelinat du Wisconsin quand j'avais quatre ans, dit-il d'une voix rendue rauque par l'émotion. J'ai quelques souvenirs de ma mère, mais très peu de mon père – à part qu'il me faisait peur. Je sais aussi que j'avais un frère, et c'est tout. J'étais trop petit à l'époque pour en garder une image précise. Mes parents ne sont jamais revenus me chercher. J'étais pupille de la nation, comme on dit. On m'a placé dans plusieurs familles d'accueil, qui me renvoyaient toujours au bout d'un certain temps, parce qu'elle n'ont pas le droit d'héberger longtemps les enfants qu'on leur confie. Je ne pouvais pas être adopté, parce que mes parents étaient toujours en vie. Moi, ça ne me dérangeait pas. Je me sentais bien à l'orphelinat et tout le monde me traitait correctement là-bas. J'ai commencé à travailler le bois vers l'âge de sept ans et, à dix ans, je me débrouillais plutôt bien. Les responsables de l'établissement me laissaient faire ce que je voulais, et comme je détestais l'école, je faisais de petits travaux. J'ai compris très tôt que, si j'aidais à entretenir l'orphelinat, on ne me reprocherait pas de sauter les cours, alors c'est ce que j'ai fait. Je préférais la compagnie des adultes à celle des autres enfants. J'avais l'impression d'être indépendant et utile, et j'adorais ça. A onze ans, j'ai pratiquement arrêté d'aller en classe. Je n'y retournais que lorsqu'on m'y obligeait, et ça a duré jusqu'à mes quinze ans. A ce moment-là, sachant que je pouvais gagner ma vie en étant charpentier, j'ai passé un test d'équivalence dans un lycée. Pour être honnête, une de mes amies m'a aidé et c'est grâce à elle que j'ai obtenu mon diplôme. Je suis ensuite parti, sans un regret. J'ai pris un bus jusqu'ici grâce à l'argent que j'avais économisé sur mes petits boulots et je n'ai jamais cessé de travailler depuis. C'était il y a vingt ans. J'en ai trente-cinq aujourd'hui, je vis bien, j'aime mon métier – et je l'aime encore plus quand j'ai affaire à quelqu'un comme vous. Personne ne m'a traité avec autant de respect en vingt ans.

A ces mots, sa voix se brisa, et le cœur de Quinn se serra, mais il ne comprenait toujours pas le problème de Jack.

— Je suis un bon charpentier, reprit celui-ci. Mais c'est tout ce que je suis et tout ce que je serai jamais. Je ne sais rien faire d'autre.

— Je ne voulais pas vous brusquer, répondit Quinn. J'admire beaucoup ce que vous faites. J'en serais bien incapable. Vous trouvez des solutions à tout et travaillez remarquablement bien.

— Pas tant que ça, répliqua tristement Jack. Vous, vous maîtrisez des tas de choses qui me resteront toujours inaccessibles.

— J'ai eu de la chance et j'ai bossé dur, comme vous.

Quinn ne pouvait imaginer la vie que Jack avait menée, ni les sentiers qu'il avait suivis pour en arriver là, mais il le mettait sur un pied d'égalité avec lui et lui témoignait le respect qui naît parfois entre deux hommes, quelles que soient leurs origines ou leur réussite. Jack Adams était un charpentier doué et honnête, et c'était tout ce qu'il attendait de lui. Mais Jack, lui, voulait bien plus que ça, tout en étant persuadé qu'il ne l'obtiendrait jamais, jugeant le poids de son passé beaucoup trop lourd pour le lui permettre.

— Ce n'est pas la chance qui a joué dans votre cas, Quinn. Vous êtes intelligent, instruit. Vous valez beaucoup plus que moi. Tout ce que je sais faire, c'est travailler le bois.

— Vous pourriez aller à la fac, si vous le vouliez, non ?

Jamais Jack n'avait affiché une mine aussi abattue. Lui qui se montrait toujours si pragmatique et enthousiaste paraissait soudain méconnaissable. Touché de le voir s'ouvrir à lui et de découvrir la profonde tristesse qui l'habitait, Quinn eut envie de lui redonner espoir.

— Je ne peux pas aller à la fac, répondit Jack, l'air brisé, avant de le fixer droit dans les yeux. Je ne sais pratiquement pas lire.

Ayant avoué cette honte qui le dévorait depuis toujours, il enfouit sa tête dans ses mains et se mit à pleurer sans bruit. Emu, Quinn le contempla, impuissant, puis lui toucha l'épaule en signe d'amitié. Personne ne lui avait jamais fait une telle confidence. Ce garçon qu'il connaissait à peine, mais aimait déjà beaucoup, avait eu le courage de lui confier sa terrible lacune, et il mesurait parfaitement la valeur d'une telle confession.

— Ce n'est pas si grave, murmura-t-il, la main toujours posée sur son épaule.

— Si, ça l'est. Je suis incapable de lire le moindre livre, la moindre lettre, ou même votre liste. Je ne comprends rien à ce qui est écrit quand je vais à la poste ou à la banque, pas plus que sur les médicaments ou les panneaux indicateurs. J'ai décroché mon permis de conduire grâce à un examen oral. Comment aurais-je pu l'avoir, sinon ? J'arrive tout juste à signer mon nom ! Et je ne reste jamais plus de quelques semaines avec une femme, parce que je suis sûr qu'aucune ne voudrait de moi, si elles s'apercevaient que je suis analphabète. Je ne serai jamais rien qu'un charpentier qui ne sait pas lire, Quinn. Je ne me fais aucune illusion là-dessus.

Quinn comprit alors que Jack attendait bien plus de la vie que ce qu'elle lui avait accordé jusqu'à présent, mais qu'il ne savait pas comment faire pour l'obtenir. Son regard empli de douleur exprimait parfaitement sa conscience des barrières contre lesquelles il se heurtait depuis des années. Bouleversé, Quinn ne savait pas quoi lui répondre. Il aurait aimé le serrer dans ses bras, mais Jack n'était pas un enfant. En fait, le meilleur moyen de l'aider était de l'accepter tel qu'il était, et de lui montrer que son illettrisme ne changeait rien au respect qu'il lui vouait.

Quelques minutes plus tard, Jack se leva et lui dit qu'il devait partir. Il semblait gêné par ses aveux, et Quinn sentit qu'il était profondément secoué.

— J'ai une amie qui me lit les papiers que je reçois, avoua-t-il en attrapant son blouson. Je saurai ce qu'il y a sur votre liste d'ici demain.

Quinn hocha la tête et le regarda partir, ému par ce que Jack venait de lui dévoiler sur sa vulnérabilité, mais aussi sur son âme.

Cette nuit-là, il resta longtemps éveillé à réfléchir à tout ce que le jeune homme lui avait confié. Et lorsqu'il se leva le lendemain matin et qu'il vit sa camionnette déjà garée devant chez lui, il enfila à la hâte un pantalon et un pull et sortit le rejoindre. Tous deux échangèrent un regard qui en disait plus que tous les longs discours. Jack semblait aussi fatigué que Quinn. Lui non plus n'avait pas fermé l'œil de la nuit, tant il se demandait s'il avait bien agi en se confiant, craignant d'avoir perdu son estime.

— J'ai appris votre liste par cœur, annonça-t-il tandis qu'ils pénétraient dans la maison.

Quinn hocha la tête et le précéda dans la cuisine, où ils s'assirent.

— J'aimerais que vous fassiez quelques heures supplémentaires, déclara-t-il tranquillement, avec dans les yeux une lueur que Jack ne parvint pas à interpréter. Pour être plus précis, j'aimerais que vous restiez deux heures de plus ici tous les soirs, et aussi le samedi.

Sans qu'il en ait eu l'intention, il s'était exprimé d'un ton très solennel qui inquiéta Jack. Sa demande ne figurait nulle part sur sa liste.

— Vous trouvez que je ne vais pas assez vite ?

Il estimait pourtant que le travail avançait plus rapidement que prévu et il avait jusqu'alors supposé que Quinn était satisfait, lui aussi.

— Si, mais je voudrais vous proposer autre chose.

Le cœur de Quinn battit plus vite lorsqu'il prononça ces mots. Il espérait que le jeune homme accepterait ce qu'il allait lui proposer. C'était important pour l'un comme pour l'autre. Un lien les unissait depuis la veille au soir, et Quinn avait le sentiment d'une mission à remplir vis-à-vis de Jack.

— De quoi s'agit-il ? s'enquit celui-ci, perplexe.

— Si vous êtes d'accord, commença Quinn avec précaution, si vous le voulez bien, je souhaiterais vous apprendre à lire.

Un long silence s'ensuivit, tandis que Jack détournait la tête pour ne pas montrer ses larmes. Quinn était ému, lui aussi, et plusieurs minutes s'écoulèrent avant que leurs regards se croisent de nouveau.

— Vous êtes sérieux ? demanda Jack lorsqu'il put enfin parler. Pourquoi feriez-vous ça ?

— Parce que j'en ai envie. J'ai souvent été stupide, cruel et égoïste dans ma vie, Jack. Cela me permettrait d'accomplir quelque chose de bien, et j'espère que vous accepterez.

Quinn renversait volontairement la situation en se plaçant dans la position du demandeur. Tous deux avaient autant à gagner dans cette association.

— Alors, c'est oui ?

Jack acquiesça d'un signe de tête.

— Vous plaisantez ? dit-il avec une joie aussi grande que celle de Quinn.

Il avait toujours voulu assister à des cours pour adultes, mais avait eu trop honte pour le faire. Avec Quinn, ce serait différent. Il n'éprouvait que de la fierté à l'idée d'apprendre avec lui.

— Quand commençons-nous ?

— Tout de suite, répondit Quinn en poussant le journal vers lui. D'ici la fin du chantier, vous saurez lire aussi bien que n'importe qui. Et si cela devait prendre plus de temps, ce n'est pas un problème. Maintenant, au travail !

Jack sourit, tandis que Quinn remplissait deux tasses de café et s'asseyait près de lui. Les cours avaient débuté.

6

Dès les premières semaines, Jack fit d'énormes progrès. Il passait ses journées à réparer ce qui devait l'être dans la maison, puis, le soir, Quinn et lui s'installaient dans la cuisine pendant deux heures – et parfois plus – pour déchiffrer lentement le journal. Lorsqu'il sentit Jack plus à l'aise, Quinn décida d'utiliser son vieux livre de navigation comme manuel scolaire. Un mois s'écoula ensuite avant qu'il ne lui propose l'un des poèmes de Jane. Pour Jack, réussir à le lire à voix haute, sans buter sur aucun mot, fut une victoire.

— C'est magnifique ! s'exclama-t-il à la fin, à la fois ravi de sa performance et ému par le texte. Ta femme devait être quelqu'un d'extraordinaire.

La complicité qui les liait les avait conduits à abandonner le vouvoiement, peu après les aveux de Jack. Leur relation n'avait en effet plus rien de celle entre un client et un employé, et l'un et l'autre savaient qu'ils pouvaient se parler en toute franchise.

— En effet, dit Quinn. Je n'en ai pas toujours eu conscience, malheureusement. Je ne l'ai découvert que durant nos derniers mois ensemble.

Le plus tragique était que, pendant trente-six ans, il l'avait ignorée et n'avait pas cherché à voir plus loin que l'image qu'il avait d'elle. Et il avait honte de n'avoir appris à vraiment la connaître qu'après sa disparition.

— Elle est très belle aussi sur les photos, ajouta Jack.

Jane avait été une femme douce et délicate, dont l'apparence presque fragile masquait en réalité une force d'âme que personne n'avait jamais soupçonnée, et Quinn moins que quiconque.

— Oui, elle l'était, reconnut-il avec mélancolie. A tous points de vue, elle était extraordinaire.

La leçon s'acheva peu après. A mesure qu'il apprenait à lire, Jack se débarrassait des chaînes qui l'entravaient et avait l'impression de retrouver la liberté. Seul Quinn demeurait prisonnier de sa souffrance, condamné à jamais à la solitude et à l'amertume. Tout juste rêvait-il un peu moins souvent de Jane depuis qu'il avait commencé à aider Jack. Comme si cela atténuait un peu son sentiment de culpabilité.

Tous deux avaient pris l'habitude de dîner ensemble le vendredi soir, après avoir terminé la leçon du jour. Le premier cuisinait, le second apportait une bouteille de vin, et ils faisaient ainsi davantage connaissance. Tantôt leurs rapports étaient ceux de deux amis, tantôt ceux d'un père et de son fils. Jack était fasciné par le parcours de Quinn. Celui-ci avait grandi dans une ferme du Midwest, avant de décrocher une bourse pour faire ses études à Harvard. A partir de là, il avait rapidement gravi les échelons, au point de devenir millionnaire dès l'âge de vingt-cinq ans. La première à l'encourager avait été Jane. Elle l'avait rencontré bien avant qu'il ne fasse fortune et n'avait jamais douté de ses capacités. Pour elle, comme pour le monde de la finance un peu plus tard, Quinn avait le don de transformer en or tout ce qu'il touchait. Les non-initiés s'étonnaient qu'il n'ait jamais commis la moindre erreur, mais c'était faux. Simplement, il avait toujours réussi à en tirer parti. A sa manière, il était un génie, mais la réussite ne l'avait pas rendu heureux.

Tout ce que souhaitait Quinn, à présent, c'était vivre en solitaire sur son bateau, dès que celui-ci serait prêt. Il en parlait presque comme d'une femme dont il aurait été amoureux et qu'il aurait eu hâte de retrouver. Après avoir perdu Jane et s'être brouillé avec sa fille, le bateau serait un compagnon qui ne pourrait jamais le tourmenter ni lui reprocher quoi que ce soit, et que lui-même ne pourrait jamais décevoir ni blesser. Passer le restant de ses jours seul à son bord, loin du monde, serait un soulagement. En attendant, il donnait un sens à sa vie en aidant Jack à réaliser son rêve.

En même temps que naissait une sincère amitié entre les deux hommes, une affection grandissante se développait entre Jack et Maggie Dartman. Le charpentier travaillait toujours pour elle le dimanche, et s'employait, semaine après semaine, à rénover sa maison. Chaque fois qu'il la voyait, cependant, il était frappé par son isolement. Les tâches qu'il accomplissait auraient pu être faites par n'importe qui d'un peu bricoleur, mais il n'avait jamais noté la moindre présence masculine chez elle, en dehors des photos de son fils dont la maison était pleine. Elle avait brièvement expliqué à Jack qu'elle avait été professeur et qu'elle avait pris un congé sabbatique un an et demi plus tôt, quand son fils s'était suicidé le surlendemain de son seizième anniversaire. La douleur qui transparaissait dans son regard dès qu'elle posait les yeux sur une photo de ce dernier bouleversait d'autant plus Jack que Maggie lui semblait particulièrement douce et vulnérable, et aussi seule que Quinn. A sa connaissance, elle n'allait jamais nulle part et passait son temps chez elle à lire, écrire ou réfléchir.

— Tu devrais l'inviter à dîner un de ces jours, suggéra-t-il à Quinn un soir à la fin du mois de février. Elle est très sympa et je pense que tu l'apprécierais.

Quinn accueillit toutefois très froidement cette idée.

— Je n'ai pas envie de rencontrer une autre femme. J'ai eu la meilleure qu'il était possible d'avoir et je ne veux pas la remplacer. Ce serait insulter sa mémoire.

Il ne la trahirait jamais. Il avait fait souffrir trop de gens durant sa vie et ne voulait pas risquer d'en blesser d'autres.

Surpris par cette réaction, Jack s'empressa de clarifier les choses.

— Ce n'est pas ce que je voulais dire. C'est juste une femme charmante, qui a traversé des épreuves difficiles. Je ne suis pas au courant de tous les détails, mais perdre un fils est un drame dont on ne se relève pas. J'ai l'impression qu'elle ne voit personne. Elle ne sort pas, son téléphone ne sonne jamais, elle ne reçoit aucune visite… Je me disais que ce serait sympa de lui proposer de dîner avec nous, un vendredi soir. Elle a de l'humour, tu sais. Et puis, je ne pense pas qu'elle ait envie de faire des rencontres, elle non plus.

D'après ce qu'elle lui avait raconté, Jack devinait assez bien dans quel état d'esprit elle se trouvait. Comme Quinn, Maggie vivait avec ses souvenirs et le poids de son chagrin.

— Je croyais qu'elle était mariée, répondit Quinn, l'air surpris. Je pensais que son mari était sans cesse en voyages d'affaires.

— Moi aussi, au début. Ça n'aurait rien eu d'étonnant, surtout qu'elle habite une assez grande maison. J'ignore si elle est veuve ou divorcée, mais ce qui est sûr, c'est qu'elle vit seule. Peut-être que son mari est mort lui aussi en lui laissant un peu d'argent.

Malgré le mauvais état dans lequel elle se trouvait, sa maison n'était pas à la portée de n'importe quelle bourse. Maggie devait donc disposer d'économies ou de revenus non négligeables.

— Je ne sais pas ce qui lui est arrivé, Quinn, reprit-il, mais à mon avis ce n'est pas drôle. Ce serait bien de l'inviter.

— Oui, peut-être. On verra, répondit Quinn sans enthousiasme.

Deux semaines plus tard, cependant, Jack revint à la charge lorsqu'il le vit sortir du four un énorme rôti de veau.

— Nous ne mangerons jamais tout ça ! s'exclama-t-il. Ce serait un crime de le jeter.

Contrairement à ce que Quinn imaginait, la viande n'avait pas réduit à la cuisson. Il avait voulu préparer un repas plus raffiné que d'habitude, mais le résultat ne correspondait pas exactement à ce qu'il espérait.

— Et si j'appelais Maggie pour savoir ce qu'elle fait ? proposa Jack.

Quinn hésita, puis céda à contrecœur. Jack semblait si déterminé à inviter Maggie à leur table qu'il se demanda soudain s'il n'était pas attiré par elle.

— D'accord, d'accord. Ça n'engage à rien, de toute façon. Préviens-la juste que c'est ton idée. Je ne veux pas qu'elle pense que je lui cours après et que j'ai monté ce plan pour qu'on fasse connaissance. Présente-moi comme un vieux bougon solitaire avec un énorme rôti de veau à partager.

Jack éclata de rire et décrocha le téléphone. Maggie parut surprise et aussi réticente que Quinn. Elle lui demanda sans ambages s'il s'agissait d'une rencontre arrangée – auquel cas il était hors de question qu'elle se déplace. Jack lui assura que ce n'était rien de plus qu'un dîner entre voisins. Pour finir, elle se laissa fléchir et sonna à la porte, dix minutes plus tard, l'air méfiante.

En lui ouvrant, Quinn fut étonné de la découvrir encore plus petite que dans son souvenir. Ils n'avaient échangé que quelques mots de part et d'autre de la haie séparant leurs deux maisons, mais à la voir là, devant lui, il fut frappé de constater combien elle était menue et fragile. Quelque chose de triste et d'effrayé dans son regard lui donna envie de la rassurer, et il comprit pourquoi Jack voulait l'aider. Elle avait tout d'une femme qui a besoin d'être protégée, ou du moins de pouvoir compter sur un ami.

Il s'écarta pour la laisser entrer et elle le suivit jusqu'à la cuisine, où Jack était en train de découper le rôti en tranches. En le voyant, le visage de Maggie s'illumina et elle parut soudain beaucoup plus jeune. Quinn se détendit lorsqu'ils passèrent à table et qu'il remplit les verres de vin.

— Comment se déroulent vos cours ? s'enquit Maggie après avoir remercié Quinn de l'avoir invitée.

Jack lui avait dit ce que Quinn faisait pour lui chaque soir et combien il lui en était reconnaissant.

— J'avance lentement mais sûrement, répondit-il en souriant.

En vérité, il faisait de gros progrès. Il parvenait à présent à lire correctement, même s'il butait encore sur certains mots. Les termes nautiques n'avaient plus de secrets pour lui et il était impatient d'aborder d'autres domaines. C'était Quinn qui insistait pour lui enseigner la voile. C'était sa passion et il tenait à la partager avec lui. Mais il lui avait aussi fait découvrir les poèmes de Jane, et Jack en avait été très touché.

— C'est un excellent élève, affirma Quinn fièrement, au grand embarras de Jack. A propos, il m'a dit que vous étiez professeur ?

— Je l'ai été, le corrigea-t-elle.

La soirée se révélait très agréable, bien plus qu'elle ne s'y était attendue.

— Cela fait presque deux ans que je n'ai pas enseigné, ajouta-t-elle avec une pointe de mélancolie dans la voix.

— Quelle était votre matière ? demanda Quinn avec intérêt.

Il la voyait très bien dans une maternelle, entourée de jeunes enfants, et fut donc surpris par sa réponse.

— La physique, au lycée, répondit-elle. La matière que tous les élèves détestent. Enfin, non, j'exagère. La plupart des miens étaient assez doués. On ne choisit pas cette option sans une vraie motivation. Sinon, on opte pour la biologie ou les maths. La majorité d'entre eux poursuivaient la physique à l'université.

— Cela veut dire que vous étiez un bon professeur. J'ai toujours aimé les cours de physique à la fac, alors que je les détestais au lycée. Pourquoi avez-vous quitté votre poste ?

— Mon fils est mort, avoua-t-elle franchement. Ma vie s'est arrêtée net, après ça. Il s'est suicidé, il y a dix-neuf mois.

Elle aurait pu leur dire combien de jours et de semaines cela représentait, mais ne le faisait plus désormais. Elle haïssait l'idée que cela faisait des mois maintenant et que bientôt cela ferait des années. Le temps créait une distance irrémédiable entre elle et son fils, et elle ne pouvait rien y faire, tout comme elle n'avait pas su anticiper et empêcher le drame.

— Il souffrait d'une grave dépression, expliqua-t-elle. Les gamins comme lui ne se suicident pas en général, même s'ils y pensent souvent. Ce sont plutôt les maniaco-dépressifs qui passent à l'acte. Andrew, lui, n'a jamais réussi à s'en sortir, et son entrée au lycée a achevé de lui faire perdre pied. J'enseignais dans le même établissement et je n'ai pas pu y retourner après sa mort. On m'a accordé un congé, afin que je puisse suivre une thérapie et, à la fin, je me suis rendu compte que je n'étais pas prête à assurer de nouveau mes cours. Je doute d'ailleurs d'en être capable un jour.

Mais elle savait que, tôt ou tard, il lui faudrait retravailler, même si ce n'était pas dans l'enseignement.

— Que faites-vous en ce moment ? l'interrogea doucement Quinn.

Maggie soupira.

— Je conseille d'autres parents confrontés à la même situation que moi. Je ne suis pas sûre de leur être d'un grand secours, mais au moins j'essaie. Et je travaille aussi comme bénévole trois soirs par semaine pour un centre d'écoute téléphonique destiné aux adolescents en difficulté. Les appels sont transférés sur ma ligne, ce qui me permet de faire ça de chez moi. Je ne sais pas si cela sert à quelque chose, mais au moins ça me donne l'impression d'être utile au lieu de rester sans rien faire à la maison, à m'apitoyer sur mon sort.

Quinn se demanda si cela n'avait pas plutôt pour effet de raviver en permanence ses blessures, mais à part la douleur perceptible dans son regard, Maggie paraissait très équilibrée. Sans oser la questionner, il se demandait où était son mari, lorsqu'elle aborda le sujet, quelques instants plus tard.

— J'aurais probablement repris le travail si le suicide d'Andrew n'avait pas entraîné la fin de mon mariage. Mon mari et moi nous sommes accusés de ce que nous n'avions pas pu empêcher. Notre couple battait de l'aile depuis longtemps et, après la disparition de notre fils, la situation n'a fait qu'empirer. Charles m'a quittée deux jours après le premier anniversaire de la mort d'Andrew, et notre divorce a été prononcé la semaine après Noël.

Quinn songea que sa première rencontre avec Maggie devait dater de ce moment-là, ce qu'elle ne tarda pas à lui confirmer.

— J'ai reçu les papiers la veille du nouvel an, quand la tempête a frappé la Californie. Sur le coup, cet ouragan m'est apparu comme la conclusion normale de tout ce que je venais de vivre. J'ai dû vous paraître folle, quand on s'est parlé ce jour-là, dit-elle tristement. J'étais si bouleversée que je racontais n'importe quoi.

— Pas du tout, la rassura-t-il, tout en la revoyant sous les trombes d'eau qui tombaient alors, sans un imperméable ou un parapluie pour la protéger.

Il se rappela son air hagard lorsqu'elle avait comparé sa cuisine aux chutes du Niagara et comprit pourquoi. Elle semblait incapable de cacher ses sentiments et paraissait aller mieux à présent – assez en tout cas pour avoir accepté de venir dîner. Il fut soudain heureux que Jack ait insisté pour l'inviter, car la jeune femme avait effectivement besoin d'amis pour la distraire. Tous trois ressemblaient à des naufragés embarqués dans un même canot de sauvetage et cela lui donna envie de lui raconter son drame personnel, pour qu'elle sache qu'elle n'était pas seule à souffrir et qu'elle finirait par s'en remettre.

— Mon fils est mort, il y a vingt-trois ans, dans un accident de bateau, lui confia-t-il en la regardant.

Jack le dévisagea avec stupéfaction. Quinn n'en avait jamais parlé, et il fut profondément touché qu'il se livre ainsi. Il n'avait fait allusion qu'à Alex, et Jack pensait qu'elle était son seul enfant.

— Il avait treize ans, continua Quinn, et je ne me suis aperçu que tout récemment combien cela nous avait affectés, ma femme et moi. Je me suis réfugié encore plus dans mon travail, pendant qu'elle se repliait sur elle-même. Nous étions aussi accablés l'un que l'autre, mais ce n'est qu'après la disparition de Jane, quand j'ai commencé à lire son journal intime, que j'ai compris à quel point la mort de Doug l'avait éprouvée. A l'époque, j'étais trop occupé, et sûrement trop insensible aussi, pour ouvrir les yeux, et je ne lui ai été d'aucune aide. Elle n'a pas pu compter sur moi. Je refusais de parler de ce qui s'était passé, parce que cela était trop douloureux. Elle a écrit de très belles choses sur lui.

Il avait les larmes aux yeux en parlant mais il n'avoua pas qu'il avait obligé Jane à se débarrasser des affaires de Doug, dans les semaines qui avaient suivi sa disparition. Il regrettait amèrement son geste, à présent qu'il en mesurait la cruauté. Il avait cru bien faire – pour elle, pour lui, et aussi pour Alex –, mais il n'aurait pas pu se tromper davantage.

— La perte d'un enfant est ce qui peut arriver de pire à un couple, déclara Maggie en le fixant droit dans les yeux.

Elle qui se reprochait l'échec de son mariage aurait voulu lui demander comment sa femme et lui avaient survécu à cette épreuve. Pour sa part, elle avait toujours eu le sentiment que son mari avait sous-estimé la dépression de leur fils et que, pour cette raison peut-être, il avait inconsciemment contribué à l'aggraver. C'était ce qu'elle n'avait jamais pu lui pardonner, et il le savait, même si elle s'était gardée de le lui dire. Quant à lui, il estimait qu'elle aurait dû deviner ce qu'Andrew s'apprêtait à faire. Leur dernière année ensemble n'avait été qu'une longue accusation silencieuse et ils avaient fini par ne plus se supporter. De toute façon, rien ne pourrait jamais leur rendre leur fils. Bien sûr, le départ de Charles avait profondément éprouvé Maggie, mais elle savait qu'il avait pris la bonne décision. Il avait fait son possible pour qu'elle ne manque de rien, payant la maison où elle vivait maintenant, car elle ne pouvait plus rester dans celle où était mort Andrew, et lui donnant assez d'argent pour qu'elle n'ait pas à travailler durant quelques années. Un jour viendrait où elle devrait reprendre son poste de professeur, mais pour le moment, elle avait besoin de rester chez elle, de se protéger des réalités de la vie. Il lui fallait du temps pour panser ses blessures. Quinn comprenait parfaitement son attitude et la jugeait tout à fait sensée. Pour autant, il ne pouvait s'empêcher de remarquer la tristesse qui assombrissait son regard.

— Vous avez vécu un enfer, dit-il doucement.

Elle hocha la tête, sans chercher à nier la réalité, mais sans vouloir non plus se présenter comme une victime. Malgré sa fragilité apparente, elle semblait posséder une force et un caractère peu communs.

— Beaucoup de gens traversent ce genre d'épreuve, déclara-t-elle. Je m'en rends compte avec les parents que j'essaie d'aider. Aux Etats-Unis, le suicide est la deuxième cause de mortalité chez les jeunes, mais il reste encore un long chemin à parcourir avant que cela soit vraiment compris. Andrew avait fait deux tentatives avant celle qui lui a été fatale.

— Il prenait des médicaments ? demanda Quinn.

— Parfois. Il ne suivait pas son traitement régulièrement, mais était très doué pour faire croire le contraire. En fait, il n'aimait pas l'état dans lequel ça le plongeait – soit anxieux, soit léthargique. C'est d'ailleurs une plainte que j'entends fréquemment chez les adolescents qui se confient à moi.

Quinn admirait ce qu'elle faisait pour les autres. Elle était simple, franche et honnête, et ne craignait pas de montrer ses failles. Discuter avec elle lui rappela qu'il n'était pas le seul à souffrir et il commença alors à lui parler de Jane, de ces années durant lesquelles il avait été trop souvent absent, se consacrant entièrement à son travail, de sa maladie, puis de sa mort si rapide.

— Tout a été fini avant même qu'on comprenne ce qui nous arrivait, conclut-il.

— Combien de temps cela a-t-il duré ?

— Neuf mois. Elle est morte en juin. Je suis aussitôt parti et j'ai voyagé. Je suis rentré en novembre pour ranger la maison et faire quelques travaux avant de la vendre au printemps.

— Que ferez-vous ensuite ? s'enquit Maggie avec intérêt.

Elle savait que partir ne servait à rien, mais ne voulait pas le lui dire. Où qu'il aille, il y aurait toujours un moment où il serait contraint d'accepter que Jane n'était plus là et qu'il ne pouvait se punir indéfiniment pour les fautes qu'il pensait avoir commises. Il faudrait qu'il se pardonne – tout comme elle-même devrait se pardonner, ainsi que Charles, la mort d'Andrew. Sinon, il ne surmonterait jamais son chagrin.

— Je me fais construire un voilier aux Pays-Bas, lui apprit-il avant de lui raconter son voyage sur la *Victoire* et sa décision d'acheter le bateau commandé au départ par Bob Ramsay.

Son projet de faire le tour du monde semblait lui procurer un réel apaisement, comme s'il était certain que, une fois à bord, il n'aurait plus à affronter ses démons. Maggie aurait pu le détromper, mais elle s'en abstint. Par expérience, elle savait que cela ne servirait à rien. A la place, elle laissa aller son imagination et sourit en se représentant le ketch.

— Il semble magnifique, dit-elle avec admiration.

— Vous faites de la voile ?

— J'en ai fait autrefois. J'ai grandi à Boston et passé tous les étés à Cape Cod à faire du bateau. J'adorais ça, mais mon mari et Andrew pas du tout, ce qui fait que je n'ai pas mis les pieds sur un bateau depuis des lustres.

— Jane et ma fille non plus, surtout après la mort de Doug. J'avais un voilier lorsque nous avons emménagé ici, mais j'avais trop de travail pour m'en occuper et j'ai fini par m'en séparer. Là, j'ai une occasion unique de m'adonner à ma passion.

Cette simple pensée le fit sourire. Jack les écoutait avec intérêt, ravi d'avoir encouragé Quinn à inviter Maggie. Tous deux avaient plus de choses en commun qu'ils ne l'imaginaient, à commencer par un grand besoin d'amitié. Ils restaient trop souvent seuls en compagnie de leurs souvenirs. Une soirée comme celle-ci ne pouvait que leur faire du bien.

— Un voilier de cinquante-quatre mètres, c'est une grosse passion, plaisanta Maggie. Naviguer avec un tel bateau doit être un pur bonheur.

— Oh oui ! répondit Quinn. J'en suis certain. Mais il me faut encore attendre septembre pour qu'il soit terminé.

Il proposa alors de lui montrer les plans du voilier, et ils passèrent un moment à les examiner. La soirée était très agréable et, à la surprise de Quinn, encore plus sympathique à trois. Malgré son passé douloureux, Maggie avait égayé le repas par sa présence, et il fut définitivement conquis lorsque, une fois qu'il lui eut décrit le ketch en détail, elle lui posa une série de questions très pertinentes. Elle s'y connaissait et l'impressionna en citant les noms des plus importants constructeurs, architectes et designers navals. Lorsqu'ils eurent fini d'examiner les plans, Jack proposa de jouer aux dés, comme lui et Quinn en avaient l'habitude le vendredi soir.

— Je n'y ai pas joué depuis des années, les prévint-elle, amusée.

Elle réussit néanmoins à les battre tous les deux, avant que Quinn ne l'emporte à son tour. Ils passèrent ainsi un excellent moment, jusqu'à ce que Maggie les abandonne peu après minuit pour rentrer chez elle. Son service pour le centre d'écoute commençait à 1 heure du matin et, pour une fois, elle se sentait étonnamment détendue.

Après son départ, Jack ne s'attarda que quelques instants.

— N'est-ce pas qu'elle est charmante ? lança-t-il à Quinn. Elle a vraiment beaucoup souffert, la pauvre. Andrew était son seul enfant, et d'après le gars qui s'occupe de son jardin, c'est elle qui a découvert le corps. Elle a beau ne pas le critiquer, son mari ne semble pas un type bien. La quitter après une épreuve pareille…

Jack avait du mal à imaginer tout ce que Maggie et Charles avaient traversé. Pour lui, elle était une femme d'une extrême gentillesse qui aurait dû avoir quelqu'un pour la soutenir.

— Les gens sont capables du pire dans de telles circonstances, commenta Quinn. Jane aurait dû me quitter, elle aussi. Dieu merci, elle ne l'a pas fait, et pourtant on ne peut pas dire que j'aie été très attentionné vis-à-vis d'elle à l'époque. Je ne pensais qu'à moi et j'étais persuadé que si je ne parlais pas de ma douleur, elle s'en irait. Au lieu de quoi, elle est restée tapie au fond de nous et nous a rongés tous les deux.

La lecture du journal de Jane lui avait révélé qu'elle avait compris sa réaction, et qu'elle l'avait laissé pleurer leur enfant à sa manière, supportant seule le poids de sa solitude et de sa souffrance. En cela, Maggie et elle n'étaient pas différentes.

Après le départ de Jack, Quinn resta un long moment dans sa cuisine à laver et ranger la vaisselle. Lorsque, enfin, il gagna sa chambre, il vit par la fenêtre que la cuisine de Maggie était allumée. Elle devait être au téléphone, écoutant et rassurant des adolescents désespérés, songea-t-il. Et elle l'était encore lorsqu'il se coucha un peu plus tard, avec, dans les mains, le journal de Jane. Il s'endormit en le relisant pour la énième fois mais, contrairement à d'habitude, il se sentit l'esprit plus en paix en pensant à elle. Si stupide et égoïste qu'il eût été, il savait qu'elle lui avait pardonné. Peut-être l'avait-il toujours su, d'ailleurs. Ce qu'il ignorait encore, c'était si lui arriverait à se pardonner.

7

A l'invitation de Quinn, Maggie revint le vendredi suivant. Tous trois avaient passé une bonne semaine et étaient d'excellente humeur. Ils parlèrent du bateau, jouèrent de nouveau aux dés et savourèrent le gâteau au chocolat que Maggie avait préparé. Ils recommencèrent les vendredis suivants et cela devint une tradition et, pour chacun d'eux, une agréable façon de commencer le week-end.

Les leçons de Jack se passaient bien et il progressait vite. Maggie avait apporté à Quinn des manuels de lecture pour Jack et cela l'aidait beaucoup. Quinn leur faisait part de l'avancement du ketch dès qu'il recevait des nouvelles de Hollande. Avril arriva. Jack avait pratiquement terminé toutes les réparations et Quinn fit venir un agent immobilier, qui se montra enthousiaste et lui assura qu'il n'aurait aucun mal à trouver un acquéreur pour sa maison. Malgré tout, il lui suggéra d'effectuer quelques travaux supplémentaires s'il voulait la rendre encore plus facile à vendre. Quinn décida de suivre ses conseils et d'attendre mai ou juin. Il ne voulait pas la mettre trop tôt sur le marché, car il avait besoin d'un toit pour vivre en attendant que son bateau soit prêt. Il remit donc à Jack la liste des travaux recommandés par l'agent, et échangea un sourire complice avec lui en le voyant la lire sans problème.

La semaine suivante, une forte vague de chaleur s'abattit sur San Francisco, et ils organisèrent leur dîner du vendredi soir dans le jardin de Maggie. Elle installa une table qu'elle recouvrit d'une nappe bleue et leur servit du poulet avec une salade de pommes de terre préparée par Quinn. Il faisait si bon que l'on se serait cru en été. Maggie portait une robe blanche en lin et, pour une fois, avait détaché ses cheveux, qui tombaient en cascades sur ses épaules. Ils fêtaient ce soir-là un grand événement. Jack venait de leur annoncer qu'il avait rencontré quelqu'un. Bien que Quinn l'accusât d'être une incorrigible romantique, Maggie se déclara ravie pour lui. Jack avait trente-six ans, et elle estimait qu'il était grand temps qu'il tombe amoureux. A présent qu'il savait lire, il n'avait plus rien à cacher ni de complexe à avoir. Elle espérait même qu'il ne tarderait pas à se marier et à avoir des enfants.

— Et toi ? demanda-t-il alors qu'ils en étaient à la pastèque et aux cerises.

— J'ai déjà donné, plaisanta-t-elle.

A quarante-deux ans, elle était convaincue que sa vie amoureuse était derrière elle. Elle avait été mariée durant dix-huit ans et n'éprouvait aucune envie de recommencer. Elle avait trop souffert de la mort de son fils et du départ de son mari, et était contente de vivre seule.

— Tu n'as que six ans de plus que moi, lui fit remarquer Jack tandis que Quinn éclatait de rire.

— Vous devriez sortir ensemble, suggéra-t-il.

Jack y avait déjà songé, mais il avait craint de gâcher leur belle amitié. Et la question ne se posait plus, maintenant qu'il avait rencontré quelqu'un.

— C'est cela ! répondit Maggie, amusée.

Jack, Quinn et elle s'entendaient si bien qu'ils formaient presque une famille. Elle était devenue comme une grande sœur pour le premier et une petite pour le second. Chacun puisait le réconfort dont il avait besoin auprès des deux autres, et la pensée que leurs soirées du vendredi prendraient fin dans quelques mois les attristait. Quinn s'en irait sur son bateau et Jack ne tarderait sans doute pas à fonder une famille – si ce n'était avec sa nouvelle petite amie, ce serait avec une autre. Maggie, elle, n'avait pour unique projet que de reprendre un poste au lycée en septembre. Elle n'avait rien d'autre à faire, nulle part où aller, personne avec qui vivre. Et bien que sa solitude fût pour elle un refuge sûr et confortable, elle sentait que le moment était venu de retravailler.

Le vendredi suivant, Quinn leur fit une surprise. Le temps était toujours aussi beau, même si les températures avaient un peu baissé. Les journées étaient longues et ensoleillées comme en été.

— Qu'est-ce que vous faites demain, tous les deux ? s'enquit-il d'un ton innocent.

En réalité, il connaissait la réponse, car il avait déjà tout organisé. Il avait eu une idée le mercredi, alors qu'il assistait à une course de voiliers, et avait tout arrangé.

— Je bosserai ici, répondit Jack.

Il retrouverait ensuite son amie. Dès le début, il avait prétexté des soirées poker entre copains pour justifier qu'il n'était pas libre le vendredi. Il ne lui avait pas parlé de Quinn, ni de Maggie, ni de ses leçons de lecture et il n'avait pas encore envie de le faire. Maggie l'avait rassuré en lui disant que rien ne l'y obligeait. Cela ne regardait que lui, même si elle considérait qu'il accomplissait quelque chose de formidable et qu'il devait en être fier.

— Moi, j'ai prévu de jardiner, annonça-t-elle.

Ils dînaient ce soir-là chez Quinn, comme presque tous les vendredis. Il était de loin le meilleur cuisinier des trois – et aussi le mieux équipé. Maggie, elle, se nourrissait presque exclusivement de fruits et de salades. Elle leur avait avoué un jour qu'elle avait cessé de cuisiner après la mort de son fils, car cela lui rappelait trop de douloureux souvenirs. Quinn était heureux de cuisiner pour eux trois.

— J'ai une meilleure idée, dit-il alors d'un air mystérieux. Soyez ici à 9 heures demain matin. Et pensez à prendre des baskets.

Maggie haussa un sourcil.

— Est-ce que par hasard tu comptes nous emmener faire un tour en bateau ?

— Mon voilier est en Hollande, tu le sais très bien. Ça ferait un peu loin pour une balade en mer. Prenez juste vos baskets et ne posez pas de questions.

— Et la rampe de l'escalier ? Tu ne voulais pas que je m'en occupe ? demanda Jack.

— Ce n'est pas pressé.

Quinn paraissait si content de lui que Maggie finit par s'inquiéter.

— J'espère que tu ne prévois pas une randonnée. Je suis trop paresseuse et trop rouillée pour ça. J'ai jeté mes chaussures de marche l'hiver dernier en jurant qu'on ne m'y reprendrait plus.

— Fais-moi confiance, se contenta-t-il de lui répondre.

La soirée se poursuivit comme d'habitude par quelques parties de dés. Maggie battit Quinn, avant de rentrer chez elle travailler pour le centre d'écoute.

Le lendemain, elle sonna à sa porte à l'heure dite, vêtue d'un jean, d'un vieux pull, d'une parka et de tennis en toile rouge vif. Il faisait un peu frais, mais la journée promettait d'être magnifique, sans la moindre bande de brouillard sur la baie. Jack était déjà là et buvait un café dans la cuisine.

— Tu avais dit des baskets, nota-t-elle en pointant les mocassins que Quinn portait aux pieds. Maintenant, je veux savoir où nous allons.

— Tout vient à point à qui sait attendre, ma chère, la sermonna Quinn. Ne sois pas si curieuse.

— J'ai l'impression d'être kidnappée ! se lamenta-t-elle en s'asseyant près de Jack pour boire un café.

Avec le temps, ils se sentaient de plus en plus à l'aise ensemble. Maggie ne faisait pas attention à ce qu'elle portait et ne se maquillait pas lorsqu'elle devait les retrouver. Elle restait elle-même et se contentait le plus souvent de natter ses longs cheveux bruns, comme ce jour-là. Quinn préférait lorsqu'elle les laissait libres, mais ne le lui avait jamais avoué. En la voyant à cet instant, il se demanda comment elle était avec du rouge à lèvres, mais se reprit. Cela ne lui ressemblait pas.

Peu après, ils partirent dans sa voiture et Maggie fit remarquer que c'était leur première sortie ensemble. Jusqu'à présent, ils s'étaient presque toujours vus chez Quinn, et elle trouvait amusant de rompre cette routine, surtout dans des circonstances aussi mystérieuses. A l'évidence très joyeux, Quinn longea Divisadero Street, puis tourna sur Marina Boulevard. Maggie supposa qu'ils allaient traverser le pont du Golden Gate pour se rendre à Sausalito mais, au lieu de cela, il s'engagea sur le parking du Saint Francis Yacht Club. Avait-il réservé une table au restaurant, afin qu'ils y déjeunent tout en regardant une régate ? Elle n'imaginait rien de plus excitant, à part faire de la voile, bien sûr.

— C'est génial ! s'exclama-t-elle.

Jack, assis derrière elle, lui adressa un grand sourire, avant de se tourner vers Quinn.

— J'ai rendez-vous avec mon amie à 19 heures, lui rappela-t-il. J'ai intérêt à être rentré à ce moment-là ou elle va m'étrangler.

— Tu y seras avant, je te le promets, lui assura Quinn.

Il gara sa voiture et les entraîna vers le ponton. C'est alors que Maggie l'aperçut. Un yacht splendide, bien plus grand que la plupart de ceux amarrés là. Trente-six mètres de pure beauté. Sa première intuition avait été la bonne, songea-t-elle. Quinn allait les emmener faire un tour en mer.

Et, en effet, il s'engagea sur la passerelle et leur tendit la main.

— Venez ! Il est à nous pour la journée. Ne perdons pas de temps ! Remettez-vous !

Jack était stupéfait et Maggie ravie. Quatre membres d'équipage les attendaient. Le navire comportait quatre cabines, un espace pour les repas sur le pont et une élégante cabine de commandement accessible par une échelle. A l'intérieur du bateau, le salon principal, luxueux et confortable, abritait une partie salle à manger pouvant être utilisée le soir ou en cas de mauvais temps. Le yacht avait été baptisé *Molly B.*, du nom de la fille de son propriétaire. Celui-ci l'avait fait venir de La Jolla pour l'été, et Quinn, qui le connaissait bien, le lui avait loué pour la journée autant pour distraire Maggie que pour initier Jack à la voile.

Ils explorèrent le bateau. Jack examina tout en détail, impressionné par les boiseries, tandis que Maggie, elle, attendait avec impatience le départ. Son souhait fut exaucé dix minutes plus tard. Quinn était aussi heureux que ses deux amis et s'efforçait de passer autant de temps avec Maggie qu'avec Jack, jusqu'à ce qu'il surprenne ce dernier en grande conversation avec l'hôtesse de bord, une jeune et belle Anglaise. Amusé, il les laissa et en profita pour aller discuter avec Maggie et le capitaine. Poussé par un vent parfait, le *Molly B.* passa bientôt sous le Golden Gate et prit la direction des îles Farallon. La mer devint plus agitée mais, à son grand soulagement, Quinn constata que Jack avait le pied marin.

— Tu nous as bien caché ton jeu, le taquina Maggie quelques instants plus tard en le rejoignant sur le pont.

Malgré une légère fraîcheur due au vent, il faisait très bon et elle savoura la caresse du soleil sur son visage.

— C'est une merveilleuse idée, ajouta-t-elle.

Pour un peu, elle se serait presque jetée à son cou mais, malgré l'amitié qui les liait, Quinn continuait de l'intimider. Il donnait toujours l'impression de maintenir une certaine distance entre lui et les autres, même lorsque tout allait bien. Elle se contenta donc de poser sur lui un regard empli de gratitude, ce qui était tout ce qu'il attendait.

Ils rentrèrent en fin d'après-midi, heureux mais épuisés. Ils avaient eu du mal à quitter le *Molly B.*, en particulier Jack, qui avait remercié un à un les membres d'équipage. Maggie, elle, ne savait pas comment exprimer sa reconnaissance à Quinn. Elle proposa de lui préparer à dîner, mais il refusa en expliquant qu'il avait du travail à terminer. La succession de Jane n'était toujours pas réglée et il avait l'impression de ne pas en voir la fin.

Jack les quitta peu après pour aller rejoindre sa petite amie et Maggie rentra chez elle. Elle ressemblait à une jeune fille avec sa natte, son jean blanc, son pull et ses baskets rouges, et Quinn sourit en la regardant s'éloigner. Elle adorait naviguer, cela sautait aux yeux. Mais comment aurait-il pu en être autrement, lui avait-elle dit, sur un bateau aussi somptueux ? Elle rêvait de voir un jour celui qu'il se faisait construire aux Pays-Bas, même s'il lui avait affirmé qu'il ne l'amènerait pas à San Francisco, sauf s'il s'arrêtait en faisant route vers le Pacifique Sud. Mais il tenait d'abord à voyager en Afrique et en Europe.

Quinn lisait un magazine dans son salon, une tasse de thé à la main, quand Maggie sonna à sa porte. Elle ne s'était pas encore changée, sa natte était à moitié défaite, et elle semblait embarrassée.

— Je ne veux surtout pas te déranger, s'excusa-t-elle. Je t'ai juste apporté ça, pour te remercier.

Et elle lui tendit une miche de pain et un grand bol rempli de pâtes à la tomate, au basilic, aux champignons et au jambon. Elle lui en avait déjà préparé, l'un des rares vendredis où Jack et lui avaient dîné chez elle, et elle s'était souvenue qu'il s'était régalé. Quinn lui en fut reconnaissant, car il se demandait quoi faire pour dîner et n'avait pas encore eu le courage de se lever de son canapé.

— Je me suis dit que tu aurais peut-être faim après une journée pareille, ajouta-t-elle. Je ne me suis pas autant amusée depuis des années. Merci mille fois, Quinn. Tu n'étais pas obligé de m'inviter, mais je suis heureuse que tu l'aies fait. Et je suis sûre que Jack aussi.

Ils sourirent tous les deux en repensant à Jack et à sa joie en montant sur le bateau. Il s'était vite senti dans son élément et n'avait pas du tout souffert du tangage. Difficile de rêver plus belle introduction à la navigation…

— Tu te débrouilles bien sur un bateau, la complimenta Quinn en posant le bol de pâtes sur la table de la cuisine.

— Je n'ai pas eu grand-chose à faire, répliqua-t-elle en souriant.

Mais aux quelques remarques qu'elle avait adressées à l'équipage, il s'était rendu compte qu'elle s'y connaissait. Sans compter l'excitation qu'il avait lue dans son regard et qui se retrouvait chez tous les passionnés de voile dès qu'ils étaient sur un bateau.

— Il faudra qu'on recommence, dit-il. L'ami qui m'a prêté le *Molly B.* est parti quelque temps en Europe.

Puis, humant la bonne odeur des pâtes dans leur bol, il invita Maggie à se joindre à lui.

— Ce n'était pas mon but en venant ici, protesta-t-elle. Je voulais juste te remercier pour cette journée. J'ai passé un excellent moment.

— Comme nous tous. Pourquoi ne pas dîner avec moi ? On jouera aux dés après. D'ailleurs, j'ai besoin de me renflouer, plaisanta-t-il.

Elle hésita un instant puis, devant son insistance, accepta de rester. Quinn sortit deux assiettes et ils s'assirent. Durant tout le repas, ils ne discutèrent que de bateaux. Il était facile de voir la place que cette passion occupait dans la vie de Quinn. Il semblait transformé dès qu'il en parlait. Aucun autre sujet, que ce soit les affaires, les amis ou les voyages, ne suscitait une telle réaction chez lui. Evoquer Jane le rendait mélancolique, et Alex tendu, mais aussitôt qu'il s'agissait de navigation, il n'était plus le même et paraissait plus ouvert.

Le temps fila si vite que, lorsqu'ils arrêtèrent de jouer, Maggie constata avec surprise qu'il était déjà 22 heures. Elle s'en voulut d'avoir empêché

Quinn de faire ce qu'il avait prévu ce soir-là et se dépêcha de partir.

— Merci encore, dit-elle tandis qu'il la raccompagnait chez elle.

— De rien. Merci à toi pour les pâtes. Et n'oublie pas que tu me dois dix dollars !

Elle n'avait pas réussi à le battre, mais ne s'en formalisait pas. Cette journée était de très loin la meilleure qu'elle eût passée depuis la mort d'Andrew, et même plus longtemps encore.

Quant à Quinn, la soirée lui avait permis de prendre une décision dont il comptait lui faire part, si tout allait bien, dès qu'ils se reverraient – probablement le vendredi suivant. Ils se croisaient rarement dans la rue, car aucun d'eux ne sortait beaucoup, mais ils profitaient des allées et venues de Jack entre leurs deux maisons pour se transmettre nouvelles et salutations.

— Tu travailles, cette nuit ? s'enquit-il.

— Je serai au téléphone à partir de minuit, répondit Maggie. Il y a un jeune de quatorze ans qui m'appelle régulièrement, quand je suis de service. Il a perdu sa mère l'année dernière et traverse une période difficile. C'est vraiment un gentil gamin, tu sais. D'ailleurs, je me rends compte que le contact avec les jeunes me manque de plus en plus.

Elle avait décidé de retourner au lycée en septembre. Le directeur de l'établissement lui avait assuré qu'elle récupérerait son poste au moins pour trois mois – le temps de remplacer le professeur qui avait pris en charge ses classes et qui devait partir en congé maternité à la rentrée. Après ça, il avait promis de l'aider à retrouver quelque chose. A défaut de mieux, c'était déjà un début, et Quinn était d'accord avec elle : reprendre une activité lui ferait du bien.

— Bon courage pour cette nuit, dit-il gentiment.

Il était facile de comprendre pourquoi cela se passait si bien entre elle et les enfants. Elle était chaleureuse, et dénuée de tout artifice. A mesure que le temps passait, il la voyait redevenir la femme qu'elle avait été, et ce en partie grâce à leurs rendez-vous du vendredi soir.

— Encore merci, Quinn.

Et, oubliant sa réserve, elle le serra soudain fort dans ses bras, puis lui sourit avant de disparaître chez elle. Quinn rebroussa alors chemin, encore sous le coup de la surprise. En effleurant sa joue, les cheveux de Maggie lui avaient fait respirer son parfum, une odeur fraîche et légère qui lui ressemblait. Elle était comme une brise d'été qui aurait soufflé sur sa vie, emportant avec elle la tristesse qui l'accablait depuis de si longs mois. Et il agissait sur elle de la même manière car, sans qu'il s'en doutât, il était devenu pour elle le roc auquel elle s'était accrochée pour ne pas sombrer. Et tout cela était arrivé grâce à Jack. Quinn savait qu'il regretterait la compagnie de ses deux amis, une fois qu'il serait parti. Dans cinq mois, son bateau serait terminé, et chacun reprendrait son chemin, plus fort qu'avant, et surtout plus riche de tout ce que leur rencontre leur avait offert. En les rapprochant, la tempête qui s'était abattue la veille du nouvel an avait finalement été une bénédiction pour eux.

8

Quinn annonça la nouvelle à Jack et Maggie le vendredi suivant : il avait loué le *Molly B.* pour tout l'été jusqu'au mois de septembre et les invitait tous les deux à passer le week-end avec lui. Cette fois, Jack refusa, car il s'était déjà engagé à aller pique-niquer avec son amie, mais Maggie accepta avec enthousiasme.

— Tu es sérieux, Quinn ? Je ne voudrais surtout pas être un boulet pour toi.

— Je ne te le proposerais pas si je n'en avais pas envie. Ça te dit de venir demain, alors ?

Avec un sourire timide, elle répondit qu'elle ne demandait pas mieux.

Elle le retrouva devant chez lui le lendemain, vêtue d'un gros pull blanc, d'un jean et de ses baskets rouges qui lui donnaient un petit air enfantin. Il faisait frais et un vent fort soufflait sur la baie, si bien qu'ils quittèrent le port rapidement. La mer était houleuse mais Maggie adorait ça. L'hôtesse étant malade, l'un des hommes d'équipage leur prépara un déjeuner composé de sandwiches et de thé qu'ils prirent assis sur le pont. En fin d'après-midi, le soleil fit enfin son apparition, et ils restèrent dîner à bord, avant de rentrer chez eux, détendus et heureux.

— C'est tellement sympa de ta part de me faire profiter de ton bateau, dit Maggie sur le chemin du retour. Je ne sais pas ce que j'ai fait pour mériter ça.

Quinn avait changé sa vie par sa gentillesse et sa générosité, et elle ne savait comment le remercier. Lorsqu'elle le lui avoua, il lui répondit qu'il appréciait beaucoup sa compagnie. Tellement même qu'il l'invitait à l'accompagner de nouveau sur le *Molly B.* le lendemain.

— Ce serait abuser, non ?

Il éclata de rire. Quelque chose avait changé en lui depuis quelque temps, il semblait plus gai, plus insouciant. Comme si son amitié avec Jack et Maggie avait allégé son fardeau.

— Pas du tout, la rassura-t-il. Je peux naviguer seul chaque fois que j'en ai envie. Je vais d'ailleurs partir quelques jours, cette semaine. Et je serai heureux que tu viennes demain. Alors, c'est d'accord ?

Voyant dans ses yeux qu'il était sincère, elle accepta volontiers.

Le temps était plus doux le dimanche, si bien qu'ils purent prendre le soleil sur le pont, lui en short et elle en maillot de bain. Ils discutèrent toute la journée, et lorsqu'ils quittèrent le *Molly B.*, ce soir-là, Maggie avait l'impression de connaître

Quinn depuis toujours. Quant à lui, encouragé par leur complicité grandissante, il profita du trajet en voiture jusque chez eux pour lui parler un peu plus de Jane et de ses poèmes, et, pour la première fois, il en éprouva plus de fierté que de tristesse.

— C'est étonnant de découvrir que quelqu'un que vous croyez connaître est en fait très différent de ce que vous imaginiez, dit-il d'un air pensif.

— J'ai ressenti la même chose avec Charles, soupira Maggie, mais pas dans le bon sens. Après son départ, je me suis même demandé si j'avais jamais su qui il était en dix-huit ans de mariage. J'avoue que ce n'est pas très agréable comme sensation. Je crois qu'il m'a détestée après la mort d'Andrew. Il avait besoin de s'en prendre à quelqu'un, et c'est tombé sur moi.

Maggie avait subi une rude épreuve en perdant à la fois son fils et son mari, et Quinn ne pouvait qu'imaginer les souffrances qu'elle avait endurées. Il l'avait senti lors de leur première rencontre. Même si elle n'avait pas été surprise de recevoir les papiers officialisant son divorce, elle avait accusé le coup. Aujourd'hui pourtant, elle semblait reprendre peu à peu goût à la vie, grâce à l'amitié de ses deux nouveaux amis. Quinn était le pilier, Jack le lien qui les unissait, et elle leur rayon de soleil – en particulier pour Quinn, qui aimait son dynamisme, son bon caractère, son humour et son esprit. Mais plus que tout, il appréciait sa tendresse et sa compassion. Maggie était la présence féminine qui leur manquait tant, à Jack et à lui, même s'ils ne s'en rendaient pas vraiment compte. Un peu comme une bonne fée qui les aurait aidés à retrouver leur chemin.

Cette semaine-là, Quinn partit longer la côte pendant deux jours. Il revint le vendredi matin, enchanté, et raconta sa sortie à ses amis le soir même. Il avait également reçu des nouvelles du ketch. La construction avançait comme prévu et il était donc d'excellente humeur. Maggie était heureuse pour lui, tout en commençant à redouter le moment où il quitterait définitivement San Francisco. Certes, elle pourrait toujours compter sur Jack, mais celui-ci semblait engagé dans une relation de plus en plus sérieuse avec sa petite amie, et elle savait qu'un jour viendrait où il n'aurait plus de temps à lui consacrer. Chacun devrait vivre sa vie. Mais, en attendant, elle profitait au maximum de chaque instant.

Ce week-end-là, Quinn l'invita sur le *Molly B.* et, lorsqu'il la déposa devant chez elle le dimanche soir, il lui proposa une nouvelle sortie, en semaine cette fois. L'agence immobilière à laquelle il avait confié la vente de sa maison prévoyait d'organiser des visites et il préférait ne pas être présent. N'ayant rien d'autre à faire, Maggie accepta, mais elle l'accusa en riant de la rendre complètement accro à son bateau.

Lorsqu'ils repartirent, l'équipage les laissa seuls la plupart du temps, sauf lorsque Quinn et Maggie souhaitaient discuter avec eux. Après le déjeuner, tous deux s'installèrent confortablement sur le pont et s'endormirent paisiblement, tandis que le bateau faisait route vers le sud. Maggie se réveilla la première. Elle se tourna vers Quinn et songea avec amusement que cela faisait bien longtemps qu'elle ne s'était pas retrouvée allongée à côté d'un homme, fût-il un ami. C'était un peu comme si elle avait été au lit avec lui, mais tout habillée. Ils étaient seuls à l'avant du bateau, sur des matelas au soleil, à l'abri du vent.

— Qu'est-ce qui te fait sourire ? lui demanda-t-il d'une voix douce et grave.

— Comment sais-tu que je souris ? Tu as les yeux fermés.

Elle aurait aimé se blottir contre lui, mais n'osa pas, de peur qu'il ne la juge bizarre. Il y avait longtemps qu'elle était privée d'affection et de contact humain, et la présence de Quinn tout près d'elle le lui rappelait très agréablement.

— Je sais tout, répliqua-t-il en roulant vers elle et en appuyant sa tête sur sa main. Alors, à quoi pensais-tu ?

— Que tu es un ange avec moi... et que j'adore être ici avec toi. Tu vas me manquer l'hiver prochain, quand tu seras parti.

— Tu auras beaucoup à faire à ce moment-là. Tu auras repris ton poste de professeur.

Il s'interrompit soudain et la dévisagea longuement.

— Tu vas me manquer, toi aussi, murmura-t-il, étonné d'en prendre soudain conscience.

— Tu ne te sentiras pas trop seul, sur ton bateau ? s'enquit-elle en se rapprochant imperceptiblement de lui.

Elle ne s'était même pas rendu compte de son geste. Simplement, il lui paraissait plus simple – plus naturel, presque – de lui parler ainsi.

— C'est ce dont j'ai besoin, justement. Je n'ai plus ma place ici. Ni nulle part ailleurs, du reste. Je n'ai plus de racines... Comme ces arbres arrachés par la tempête, l'hiver dernier... Je suis tombé, et maintenant je dérive vers le large.

Ces paroles attristèrent Maggie. Elle voulut lui tendre la main, mais se dit que cela ne changerait pas grand-chose pour lui. Elle n'avait aucun moyen et aucun droit de le retenir. Il ne lui restait qu'à le regarder partir en lui souhaitant bon voyage. Leur temps ensemble était compté et ne tarderait pas à prendre fin.

— J'ai toujours été très indépendant, y compris durant mon mariage, poursuivit-il. J'allais et venais en permanence, sans jamais avoir le sentiment d'être chez moi où que ce soit. J'ai toujours tenu à vivre sans attaches. Ma famille l'a payé très cher, mais je n'aurais pas pu faire autrement. Jane l'a très bien compris, à mon avis, même si elle en a beaucoup souffert.

C'était le sujet de presque tous ses poèmes : la nécessité pour elle de le laisser s'en aller, en sachant que sa liberté lui était plus indispensable qu'elle, sa propre femme.

— Je n'ai jamais supporté d'avoir l'impression d'être tenu en laisse, conclut-il.

— Mais si ce n'était pas le cas ?

— Je m'en irais au loin, et je finirais probablement par rentrer un jour. Comme une bouteille jetée à la mer et qui reviendrait avec un message à l'intérieur, répondit-il en souriant.

— Et quel serait ce message ? murmura-t-elle.

Sans réfléchir, Quinn passa un bras autour de ses épaules et l'attira contre lui. Allongés, le regard tourné vers les voiles et le ciel au-dessus d'eux, pour rien au monde ils n'auraient voulu être ailleurs. Ils ne s'étaient pas sentis aussi heureux depuis très longtemps.

— Ce message... commença-t-il d'un air songeur, serait que je ne peux être différent de ce que je suis aujourd'hui... même si je le voulais. Il serait que je t'aime, mais que je dois rester libre. Sinon, je mourrais aussi sûrement qu'un poisson meurt quand on le sort de l'eau. J'ai besoin de l'océan, du ciel, de l'horizon... C'est tout ce que je veux, Maggie. Un espace ouvert, vide et infini. Peut-être que je n'ai jamais rien souhaité d'autre de ma vie et que je n'ai pas eu le courage de le reconnaître plus tôt. Mais maintenant, il faut que je sois honnête avec moi-même.

Il baissa alors la tête vers elle, en souriant.

— As-tu déjà vu le rayon vert, quand le soleil va

disparaître ? Il n'est visible qu'une fraction de seconde, et c'est le plus beau spectacle qui soit… Eh bien, c'est ça que je recherche… Cet instant parfait, cette lumière verte quand le soleil se couche et que la nuit tombe… Et je le chercherai partout, quel que soit le chemin à suivre…

— Mais peut-être que cette lumière est en toi, objecta Maggie. Peut-être que tu n'as pas à courir le monde pour l'apercevoir.

Elle savait qu'il fuyait son passé au moins autant qu'il courait vers son but, mais ça, il fallait qu'il le découvre lui-même. Elle aussi avait lutté contre ses propres démons, lorsqu'elle s'était demandé si vraiment elle était responsable de la mort d'Andrew, ainsi que le lui avait affirmé Charles. Et puis un jour, elle avait compris qu'elle n'aurait pas pu changer le cours des choses. Cette vérité s'était imposée à elle petit à petit, morceau par morceau, comme les éclats d'une vitre qui se serait lentement reconstituée sous ses yeux jusqu'à lui permettre de voir à travers. Pour cela, elle avait dû parler à d'autres adolescents aussi fragiles que son fils, passer de longues nuits à faire son autocritique, prier, pleurer… Et au bout du compte, ce qu'elle avait découvert au plus profond d'elle-même l'avait apaisée. Personne n'aurait pu empêcher Andrew de se suicider. Elle devait accepter son choix. Tout était question d'acceptation et d'amour, en réalité, car il fallait aimer profondément quelqu'un pour le laisser partir à jamais.

Cette prise de conscience avait été son rayon vert à elle, et elle espérait que Quinn finirait par trouver le sien lui aussi. Pour l'heure, il était encore trop tourmenté. Tant qu'il n'admettrait pas que rien, pas même lui, n'aurait pu être différent de ce qui avait été, alors il continuerait de fuir. Sortir de cette spirale supposait de faire une pause dans sa vie et de prendre le temps de réfléchir, mais comment l'expliquer à quelqu'un ? C'était à Quinn et à lui seul de trouver les réponses s'il voulait être libre.

Le visage de Maggie exprimait tout ce qu'elle ressentait pour lui. Sa peine. Sa compassion. Sa gratitude, aussi. Elle levait les yeux vers Quinn, lorsqu'il se pencha pour l'embrasser. Le temps s'arrêta alors, leur donnant un sentiment de plénitude parfaite. Ce fut comme si deux mondes se fondaient doucement l'un dans l'autre. Il se passa un long moment avant qu'il n'ouvre les yeux pour la regarder. Il désirait Maggie de toute son âme, mais devait se montrer franc envers elle.

— J'ignore où cela va nous mener, murmura-t-il.

Elle hocha la tête en silence, devinant déjà ce qu'il allait lui dire. Elle avait appris à bien le connaître au fil des mois.

— Je suis un homme sans passé ni avenir, reprit-il. Je n'ai que mon présent à t'offrir. Mon passé ne vaut rien, et tu ne peux entrer dans mon avenir, si jamais j'en ai un, ce dont je doute. Il ne pourra s'agir entre nous que d'une parenthèse avant mon départ. Cela te suffit-il, Maggie ?

Il espérait que c'était le cas. Tout en la regardant, il se souvint de toutes ces années où Jane l'avait fixé avec un regard empli de déception et de douleur. Malgré son amour pour elle, il n'avait pas répondu à ses espoirs et il ne voulait pas infliger cette souffrance à une autre. Mais Maggie était différente, et peut-être que, pendant une heure ou pendant quelques mois, ils pourraient partager le peu qu'il avait encore à donner.

— Oui, Quinn. Cela me suffit… Nous sommes pareils, toi et moi.

Son passé à elle aussi était douloureux, et son avenir incertain. Ils avaient tous les deux tiré les enseignements de leurs expériences et ne voulaient plus souffrir ni faire souffrir.

— Je m'en irai en septembre, quoi qu'il advienne entre nous. Tu le comprends ? dit-il, sûr de lui.

Elle acquiesça d'un signe de tête, l'air serein.

— Je sais.

Quel que soit l'amour qu'elle lui portait, songea-t-elle, elle devrait le laisser partir. Ne surtout pas chercher à le retenir. C'était la seule façon de lui prouver son amour.

Quinn parut alors se détendre. Il la serra tout contre lui et ils restèrent ainsi, immobiles et silencieux, à contempler les voiles se détachant dans l'immensité du ciel. Il n'y avait rien à ajouter. Ils avaient tout ce qu'ils désiraient et ne demandaient rien de plus.

9

Lorsque Jack les retrouva le vendredi suivant, il sentit que quelque chose avait changé entre ses deux amis, mais sans parvenir à déterminer quoi. Quinn semblait plus heureux et détendu. Et quand Maggie les rejoignit pour le dîner, il vit qu'elle portait ses cheveux détachés, contrairement à son habitude. Quinn et elle avaient en fait passé la nuit ensemble sur le *Molly B.* N'étant pas tenus par le moindre engagement, leurs journées n'appartenaient qu'à eux. Et depuis quelques jours, ils passaient de plus en plus de temps ensemble sur le bateau.

Ils jouèrent aux dés, comme toujours, et Quinn remporta la plupart des parties. Vers minuit, Jack se leva pour prendre congé et Maggie en fit autant. Quinn et elle ne passaient jamais la nuit l'un chez l'autre. Quinn était gêné à l'idée que Maggie dorme dans le lit qu'il avait partagé avec Jane. Le voilier leur fournissait un terrain neutre qui leur convenait parfaitement, devenant peu à peu leur deuxième maison. Au fil des jours, ils découvraient avec surprise la force de leur passion. Quinn n'avait rien éprouvé de tel depuis des années, et bien qu'il ne l'eût pas avoué à Maggie, il avait l'impression d'avoir retrouvé sa jeunesse avec elle. De son côté, elle vivait avec lui quelque chose qu'elle n'avait jamais connu auparavant. Mais plus que tout, cet amour leur apportait la paix. Plus tôt, ils n'auraient pas été prêts à l'accepter.

Il fallut un mois à Jack pour deviner ce qui se passait. Alors qu'il les regardait un soir préparer le dîner l'un à côté de l'autre, il se demanda soudain comment il avait pu être aussi aveugle. Quelques jours plus tard, il se risqua à en toucher un mot à Quinn.

— Est-ce que par hasard j'ai raté quelque chose ? s'enquit-il gauchement, ne sachant pas de quelle manière formuler la question.

— C'est-à-dire ? répondit celui-ci, amusé, tout en comprenant parfaitement où Jack voulait en venir.

— Maggie et toi, c'est bien ce que je crois ?

— Peut-être.

Quinn sourit et lui tendit un verre de vin. Ils avaient terminé leur leçon et il était fier du travail accompli par son élève. Jack se débrouillait si bien désormais qu'ils étaient passés à la lecture de Robert Frost, de Shakespeare et de tous les poètes préférés de Jane.

— Je ne sais pas exactement ce qui nous lie, ajouta-t-il, mais nous sommes bien comme ça et ça nous suffit.

Ce qu'il adorait chez Maggie, c'était qu'elle le comprenait d'instinct et qu'elle le laissait être ce qu'il était, sans pour autant cesser de se respecter elle-même. Et contrairement à Jane, cela ne représentait pas un sacrifice pour elle, si bien qu'il n'éprouvait aucun sentiment de culpabilité. De plus, Maggie avait tellement souffert qu'elle n'attendait pas trop de lui. Elle était tendre, aimante, et en même temps indépendante, et c'était exactement ce qu'il voulait.

— Tu l'aimes ? demanda Jack, curieux.

Il était ravi pour eux. Il avait remarqué combien Maggie paraissait heureuse depuis quelques semaines. Elle chantait, riait et s'épanouissait comme une fleur au soleil. De son point de vue, elle était ce qui pouvait arriver de mieux à Quinn, et réciproquement.

— Je ne suis plus très sûr de ce que ça veut dire, répliqua Quinn. L'amour est une flèche empoisonnée qui vous perce le cœur et qu'on retourne ensuite contre une autre personne. Je ne veux plus blesser qui que ce soit.

Un an s'était écoulé depuis la mort de Jane, et il avait pleinement pris conscience de ce qu'il lui avait infligé. Elle lui avait pardonné mais lui ne se le pardonnerait jamais. Et il ne voulait pas faire souffrir à nouveau quelqu'un.

— De véritables crimes sont commis au nom de l'amour, continua-t-il. Il n'y a rien de pire.

— Ne sois pas si dur avec toi-même.

— Si, Jack. Sinon, je recommencerai et je ne le veux pas. Maggie a suffisamment souffert comme cela.

— Tu l'emmèneras avec toi, en septembre ?

— Non, répondit Quinn sans hésiter. On vit l'instant présent et on ne demande pas plus. Nous n'avons pas d'avenir ensemble.

Cela attrista Jack, mais il se dit que Quinn changerait sûrement d'avis. Le lendemain, il fit discrètement comprendre à Maggie qu'il était au courant de leur liaison. Elle sourit, l'embrassa sur la joue et ne fit pas de commentaire. Cela faisait un moment qu'elle voulait lui en parler, sans savoir comment aborder le sujet, et, tout en souhaitant rester discrète, elle était contente que cela ne soit plus un secret.

La semaine suivante correspondit à la date anniversaire de la mort de Jane. Ayant déjà vécu la même chose avec Andrew, Maggie savait combien cette période était difficile. Aussi, ce jour-là, après être allée se promener avec Quinn, elle respecta son besoin de solitude et le laissa dormir seul sur le *Molly B.* Lorsqu'il revint le lendemain, il semblait rasséréné. Le hasard voulut qu'il apprît juste à ce moment que sa maison était vendue au prix qu'il souhaitait. Les acheteurs venaient de la côte est et acceptaient d'attendre le 1er octobre pour emménager. Tout se déroulait donc au mieux pour lui. Pour Maggie, en revanche, cela rendit le départ de Quinn bien réel. Même si elle s'était fait une raison – ou du moins le prétendait –, cela fut un coup dur pour elle.

Fin juin, Quinn l'invita à l'accompagner aux Pays-Bas pour voir son bateau. Il avait déjà fait trois fois le déplacement au cours du printemps, mais, cette fois, il voulait le lui montrer et lui offrit son billet d'avion. Gênée, Maggie hésita d'abord, mais le coût du voyage aurait pesé sur son budget et Quinn le savait. Il insista donc jusqu'à ce qu'elle cède. Elle était tout excitée lorsqu'ils s'envolèrent pour Londres. De là, ils prirent une correspondance pour Amsterdam, où Quinn avait réservé une superbe suite à l'hôtel Amstel. Maggie avait l'impression d'être sur un petit nuage. Après avoir étudié les plans du ketch durant des mois, elle allait enfin le découvrir. De son côté, Quinn avait hâte de le lui montrer. C'était comme s'il l'emmenait visiter sa nouvelle maison.

Ils dormirent quelques heures à l'hôtel puis, aussitôt après le déjeuner, se rendirent au chantier naval sous un soleil magnifique – ce qui n'était pas si fréquent à Amsterdam, expliqua Quinn. Dès l'instant où elle posa les yeux sur le bateau, Maggie eut le souffle coupé. Elle demeura silencieuse, les larmes aux yeux, bouleversée par tant de beauté – et aussi par le désir de Quinn de l'en faire profiter. Cela signifiait beaucoup pour elle.

— Oh, mon Dieu, c'est une merveille ! s'exclama-t-elle enfin.

Le ketch se trouvant encore en cale sèche, il lui apparaissait dans toute sa hauteur et lui faisait davantage l'effet d'un paquebot que d'un voilier. Il était si grand que des ascenseurs hydrauliques avaient été installés autour pour y accéder. En visitant l'intérieur, elle fut étonnée de voir combien les ouvriers avaient avancé. Cela lui rappela que Quinn partirait bientôt, mais elle chassa cette pensée, préférant lui faire part de son admiration pour le bateau. Il était heureux qu'elle se montre si enthousiaste, car il n'imaginait pas une réaction si positive de sa part. Maggie partageait pleinement son bonheur et affichait une joie sans bornes qui le comblait.

Ils passèrent l'après-midi sur le chantier à discuter en compagnie de Tem Hakker et de ses fils. L'entrepreneur attendait toujours ses visites avec impatience, afin de lui montrer l'avancement des travaux et lui proposer de nouvelles améliorations.

Ce soir-là, Quinn et Maggie dînèrent à l'hôtel et retournèrent au chantier le lendemain, dès l'aube. Maggie appréciait tout ce que ce séjour lui faisait découvrir et était très reconnaissante à Quinn de l'avoir invitée. Elle savait que c'était sa manière à lui de lui prouver combien il tenait à elle. Emue, elle le regarda parcourir le bateau avec les Hakker, et les suivit tranquillement en les écoutant discuter et en admirant ce qui avait été fait.

Le salon principal et les cabines étaient lambrissés, les salles de bains étaient en marbre d'Italie, les ponts en teck. La suite de Quinn ressemblait à un palace. A l'extérieur, les ouvriers travaillaient encore sur la superstructure, qui serait de couleur argentée, de façon à s'harmoniser avec la coque bleu marine. Quinn avait songé à une centaine de noms différents pour son ketch, avant de se décider pour *Vol-de-Nuit*. Il adorait le roman de Saint-Exupéry et trouvait que ce nom collait parfaitement à l'élégance de son bateau et au but qu'il s'était fixé. Maggie l'imaginait la nuit, voguant d'une contrée lointaine à une autre, tel un aventurier solitaire au milieu de l'océan et des étoiles. D'ailleurs, même les couleurs du ketch, bleu marine et gris argenté, rappelaient un ciel étoilé.

A la fin de la journée, les Hakker avaient des réponses à toutes leurs questions les plus pressantes. Quinn et Maggie reprirent alors leurs affaires à l'hôtel et filèrent à l'aéroport pour s'envoler vers Paris. Au départ, ils avaient envisagé d'y passer une journée mais y avaient renoncé. Ils étaient venus voir le ketch, cela leur suffisait. Une heure après avoir atterri à Charles-de-Gaulle, ils repartirent donc pour San Francisco, où ils devaient atterrir à minuit. Leur voyage avait été bref, mais riche de signification pour tous les deux. Dès qu'ils furent installés, Maggie lui sourit et se pencha vers lui pour l'embrasser.

— Pourquoi ce baiser ? demanda-t-il, surpris et ravi.

— Pour te remercier de m'avoir emmenée. Ton voilier est encore plus beau que je ne m'y attendais.

Il lui avait également montré le linge, et la vaisselle, tout en cristal et porcelaine, qu'il avait choisis et qui témoignaient de son goût très sûr. Maggie était persuadée que le bateau n'aurait pas été aussi exceptionnel si Bob Ramsay l'avait conservé.

— Merci à toi de m'avoir accompagné, répondit-il.

Il était heureux de lui avoir fait découvrir le ketch. Jamais il n'avait rencontré une femme éprouvant une telle passion pour les bateaux. Et comme celui-là surpassait tous les autres, il était important que Maggie soit capable de l'apprécier à sa juste valeur. Personne ne pourrait oublier le *Vol-de-Nuit* après l'avoir vu. Quinn aurait adoré le montrer à Jane mais, au plus profond de lui, il savait qu'elle n'aurait pas été aussi sensible à la beauté du ketch que Maggie. Sa femme ne s'était jamais intéressée aux bateaux. En fait, si elle avait vécu, il ne se serait certainement jamais lancé dans un tel projet. Jane n'aimait pas les voiliers, et la mort de Doug n'avait fait que renforcer cette aversion. L'amour des bateaux ne s'acquérait pas avec le temps. On le possédait ou pas, et Quinn et Maggie l'avaient dans le sang.

Ils dînèrent en discutant tranquillement, puis Maggie abaissa le dossier de son siège pour regarder un film sur son écran individuel avant de s'endormir. Lorsqu'il se tourna vers elle un peu plus tard et qu'il la vit assoupie, Quinn sourit et la couvrit doucement d'une couverture. Il avait réglé de nombreux points durant ce voyage express mais, surtout, il avait appris à mieux connaître Maggie. Plus que sa passion pour la voile ou sa compréhension des mille et un détails qui restaient à régler sur le bateau, il avait découvert sa générosité. Elle s'était réjouie pour lui et l'avait félicité d'avoir acheté le voilier alors même qu'il allait bientôt les séparer. Elle avait affronté son rival sans ciller, l'avait admiré, acceptant qu'il lui prenne celui qu'elle aimait. Aucune femme n'avait jamais fait ça pour lui, pas même Jane, et c'est ce qui lui fit soudain prendre conscience qu'il aimait Maggie.

10

L'avion atterrit à San Francisco avec un léger retard, à une heure du matin. Maggie avait dormi durant presque tout le vol, si bien qu'elle se sentit reposée lorsque Quinn la réveilla. Elle le regarda en souriant, encore un peu ensommeillée. Elle regrettait d'être déjà de retour et qu'ils ne se soient pas arrêtés à Paris. Leur voyage avait été si bref qu'elle avait l'impression d'avoir rêvé. Mais elle savait aussi que Quinn était très occupé. Il avait encore beaucoup de choses à faire avant son départ, dont la succession de Jane à régler pour le mois de septembre, ce qui serait loin d'être agréable. Maggie, soumise à son emploi du temps, était heureuse qu'il l'ait emmenée voir son bateau.

Ils franchirent rapidement la douane et prirent un taxi pour rentrer. En chemin, Quinn se tourna soudain vers elle. Ils n'avaient aucune raison de dormir chacun chez eux, cette nuit-là. Lui, en tout cas, n'en avait pas envie. Il aimait avoir Maggie à ses côtés, mais répugnait toujours à l'inviter chez lui. Sa maison était celle de Jane et elle le resterait jusqu'à ce qu'il en parte.

— Tu ne voudrais pas qu'on aille plutôt sur le *Molly B.* ? demanda-t-il en enroulant un bras autour de ses épaules.

Elle hocha la tête. Elle non plus ne voulait pas dormir seule, cette nuit-là. Elle s'habituait de plus en plus à la présence de Quinn auprès d'elle et devait reconnaître qu'il lui manquait les soirs où il n'était pas là. Pourtant, elle savait qu'il lui faudrait bientôt s'y faire. Qu'elle aimât être avec lui ne changeait rien au fait que bientôt il partirait.

— J'adorerais ! répondit-elle en songeant que jamais elle ne pourrait oublier tous les bons moments passés à bord du voilier.

— On ira faire un tour en mer demain matin, si tu veux. Je n'ai rendez-vous avec mon avocat qu'à 16 h 30.

En arrivant, ils trouvèrent le bateau fermé, mais Quinn avait les clés ainsi que le code de l'alarme. Tout l'équipage était couché, à l'exception du second, de quart cette nuit-là. L'homme porta leurs bagages dans leur cabine et proposa de leur préparer quelque chose à manger, mais ni l'un ni l'autre n'avaient faim. Ils se couchèrent sans tarder après une douche rapide, et Maggie se blottit aussitôt contre Quinn.

— Merci pour ce merveilleux voyage, murmura-t-elle. Je pense que le *Vol-de-Nuit* et toi serez très heureux ensemble.

Il aurait voulu lui dire combien il appréciait sa générosité, mais il ne le pouvait pas. Il craignait qu'elle ne se fasse des illusions. Il l'aimait, mais cela ne changeait en rien sa décision. Lui avouer ses sentiments risquerait de lui faire croire qu'il était prêt à renoncer à partir, ou bien qu'il reviendrait un jour, ce qui n'était pas le cas. Il estimait devoir à Jane de rester seul. Après tout ce qu'il avait fait, ou plutôt n'avait pas fait durant tant d'années, il ne méritait pas de seconde chance. Maggie, en revanche, était encore assez jeune pour espérer rencontrer quelqu'un et entamer une deuxième vie. Il fallait qu'elle l'oublie.

Et puis, même s'il ne lui en avait pas parlé, il était gêné par leur différence d'âge. Il avait vingt ans de plus qu'elle et aurait pu être son père. Il ne ressentait pas cet écart au quotidien, mais il avait déjà une longue existence derrière lui. Il s'était marié, avait eu des enfants, avait fait carrière. Désormais, l'heure était venue pour lui de payer pour ses erreurs passées. Avoir une liaison avec une femme beaucoup plus jeune et l'entraîner aux quatre coins du monde lui paraissait un comportement aussi égoïste que celui qu'il avait eu envers Jane et Alex. Il était donc persuadé d'agir pour le mieux en ne promettant rien à Maggie et en lui rendant sa liberté, lorsqu'il partirait. C'est pourquoi, alors même qu'elle occupait la moindre de ses pensées et qu'il adorait qu'elle soit à ses côtés, il garda le silence.

Le lendemain, le *Molly B.* avait déjà largué les amarres lorsqu'elle s'éveilla. C'était une belle journée de juin, et Quinn s'était levé et habillé bien avant elle. Elle avait du mal à imaginer que la veille seulement, ils étaient encore à Amsterdam. Cela la fit sourire, et elle s'empressa d'enfiler une robe de chambre par-dessus sa chemise de nuit, pour rejoindre Quinn sur le pont.

— Mince, quelle heure est-il ? Où suis-je ? lui lança-t-elle, rieuse, en clignant des yeux face au soleil.

Ses cheveux lui tombaient librement dans le dos, exactement comme il aimait. Elle avait l'air ainsi à peine plus âgée qu'Alex, ce qui était le cas puisqu'elles n'avaient que huit ans de différence. Et pourtant, il aurait pu y avoir une génération d'écart entre elles. Maggie avait tant souffert que cela l'avait rendue plus mûre, plus sage et bien plus compatissante que sa fille.

— Il est 10 heures, madame, répondit-il. Nous sommes dans la baie de San Francisco et vous remarquerez le pont du Golden Gate devant vous. Ah, au fait, je m'appelle Quinn Thompson.

— Bonjour ! dit-elle en entrant dans son jeu. Moi, c'est Maggie Dartman. Ne s'est-on pas croisés à Amsterdam ? Vous êtes le propriétaire de ce fabuleux yacht, le *Vol-de-Nuit*, n'est-ce pas ? A moins que j'aie rêvé ?

— Je le crois, oui.

L'hôtesse de bord s'approcha alors d'elle, pour

lui demander ce qu'elle souhaitait pour son petit déjeuner. Amusée d'être si gâtée, Maggie se tourna vers Quinn.

— Quand je pense qu'avant, le matin, je ne mangeais que des barres au chocolat.

— Ne m'invite jamais à prendre le petit déjeuner chez toi ! s'écria-t-il, horrifié. Je préfère m'en tenir aux dîners.

— Sage décision, répliqua-t-elle.

L'hôtesse revint peu après avec un cappuccino. Le personnel du *Molly B.* était parfait et Maggie songea qu'il lui faudrait aussi reprendre ses anciennes habitudes, lorsque Quinn serait parti.

Celui-ci avait commencé à recruter son équipage pour le *Vol-de-Nuit*. L'un des hommes était italien, deux autres français et les sept derniers britanniques. Il avait également engagé Sean Mackenzie, le capitaine de la *Victoire*, après avoir reçu une lettre de lui au mois d'avril lui demandant s'il recherchait quelqu'un. Quinn lui avait aussitôt répondu par fax, avant de l'appeler. Mackenzie se rendrait à Amsterdam avec les autres marins, juste avant les essais en mer, en septembre. Pour le moment, tout se déroulait donc comme prévu.

Maggie resta avec Quinn jusqu'à ce qu'ils rentrent, à 15 heures. Avant de quitter le bateau, ils décidèrent de passer de nouveau la nuit à bord. Quinn et le *Molly B.* devenaient une drogue pour Maggie et elle savait que la séparation serait douloureuse en octobre, si elle continuait à le voir aussi souvent. Il reviendrait une dernière fois à San Francisco après les essais en mer. Après, tout serait terminé. Elle se força cependant à ne pas y penser. Elle avait promis de le laisser partir sans protester et tiendrait parole, quel qu'en soit le prix. Quinn avait été un cadeau inattendu du destin. Et lorsque celuici le lui reprendrait, il lui faudrait l'accepter avec reconnaissance. C'était la seule chose que Quinn exigeait d'elle, et elle estimait lui devoir ça, même si elle avait l'impression que la vie s'obstinait à lui ôter tous ceux qu'elle aimait.

— Ça va ? demanda-t-il alors que l'un des membres d'équipage les ramenait chez eux. Tu ne dis rien.

Il devinait que son silence masquait quelque chose, mais elle n'avait pas l'intention de lui faire part des réflexions que lui inspirait son départ.

— C'est le décalage horaire, prétendit-elle. Et toi, tu n'es pas fatigué ?

— Non, pas du tout.

En fait, il avait été si content de voir le *Vol-de-Nuit* qu'il se sentait tout revigoré.

— Si seulement je n'avais pas ce rendez-vous avec mon avocat, pesta-t-il. J'essaierai d'être à la maison à 19 heures.

Ils avaient laissé leurs bagages sur le bateau, de sorte qu'elle n'avait presque rien à faire en attendant qu'il revienne la chercher. Elle serait beaucoup plus occupée à la rentrée, une fois qu'elle aurait repris son travail.

Jack se trouvait chez Quinn lorsque celui-ci arriva. Il finissait de bricoler dans la cuisine et le regarda d'un air triste en le voyant.

— Il y a un problème ? s'inquiéta Quinn en posant son attaché-case.

Jack secoua la tête, mais il semblait complètement déprimé.

— J'ai terminé, annonça-t-il.

— Terminé quoi ?

— Tout.

Quinn se figea.

— Tout ? répéta-t-il.

Ils avaient fait traîner les travaux le plus longtemps possible, mais Jack venait depuis six mois et il n'y avait plus rien à faire.

— Tout, confirma-t-il. On a fini.

— Non, le corrigea Quinn en fixant avec bienveillance celui qui était devenu son ami et pour qui il avait fait office de professeur et de mentor. *Tu* as fini. Il faut qu'on fête ça ! décréta-t-il.

— Je peux quand même continuer à venir le vendredi soir ? s'enquit Jack.

— J'ai une meilleure idée. Si on prenait le petit déjeuner ensemble, demain ? Il y a quelque chose dont j'aimerais discuter avec toi... Ah, non, je serai avec Maggie sur le *Molly B.* Pourquoi ne viendrais-tu pas dîner avec nous sur le bateau, vendredi soir ?

— Je pourrai venir avec Michelle ?

Son histoire avec elle semblait de plus en plus sérieuse, au point que tous deux étaient désormais inséparables, mais Quinn espérait que la jeune fille n'était qu'une passade, car il avait une proposition importante à faire à Jack.

— Bien sûr ! Elle est au courant de la nature de certains de nos travaux ici ? l'interrogea-t-il afin de ne pas commettre d'impair au cas où Jack le lui aurait caché.

— Tu veux dire nos séances de lecture ? Oui, elle le sait. J'avais peur qu'elle ne me méprise, mais en fait elle a trouvé ça génial.

— Alors, je l'aime déjà, lui assura Quinn.

— Et Amsterdam, c'était comment ?

— Parfait. Tout avance très vite et le voilier est superbe.

Puis, comme s'il venait juste de s'en souvenir, il ajouta :

— J'ai emmené Maggie avec moi.

— Je me disais aussi… Je ne l'ai pas vue de toute la semaine, mais je n'étais pas sûr que vous étiez partis ensemble.

Les deux hommes échangèrent un long regard, et Quinn devina la question que Jack n'osait lui poser.

— Non, rien n'a changé. Elle comprend et sait que je vais partir.

Jack soupira. Il avait beaucoup appris de Quinn durant ces six mois, mais il jugeait à présent que c'était lui qui avait besoin d'une leçon.

— Tu ne rencontreras pas une femme comme elle tous les jours, Quinn… Quoi que tu fasses, ne la perds pas.

— Elle ne m'appartient pas, répliqua Quinn. De même que je ne lui appartiens pas. Les gens ne sont pas des biens que l'on possède, Jack.

Jane ne l'avait jamais eu à elle, ou du moins pas avant sa maladie. Et aujourd'hui, il était prêt à renoncer à Maggie et à n'emporter avec lui que le souvenir des moments qu'ils avaient vécus ensemble. Il n'aurait pas besoin de plus, il en était persuadé.

— De toute façon, reprit-il comme pour se convaincre, je suis trop vieux pour être romantique ou pour rester dans les jupes d'une femme. Elle le sait très bien.

— Moi, je pense que tu fiches en l'air quelque chose de précieux, s'entêta Jack.

— Non, je vais juste la rendre à elle-même. C'est différent.

Navré, Jack secoua la tête.

— A vendredi ! lança Quinn.

Il avait hâte de revoir son ami. Il comptait bien poursuivre leur rituel du vendredi soir et se demanda soudain si Jack amènerait désormais Michelle chaque semaine. Bien qu'il fût tout à fait disposé à accueillir la jeune femme, il tenait beaucoup au trio qu'ils formaient avec Maggie.

— Réfléchis à ce que je t'ai dit ! lui cria Jack.

Mais Quinn l'ignora et ferma la porte.

11

Michelle et Jack arrivèrent à 19 heures précises le vendredi suivant. Des lanternes étaient allumées sur le pont, où Maggie et Quinn les attendaient. Aussitôt l'équipage leur servit du champagne. Il régnait une atmosphère de fête sur le bateau, car Quinn avait prévu de célébrer, ce soir-là, la fin des cours de Jack. Il lui avait préparé un diplôme en y inscrivant son nom et la date, ainsi que la mention « très bien ». Il fallut un moment à Jack pour comprendre ce qui se passait lorsque, à la fin du repas, Quinn le lui tendit. Très émus, tous deux s'étreignirent.

— Félicitations, mon garçon, tu peux être fier de toi, murmura Quinn.

Jack était si touché qu'aucun son ne pouvait sortir de sa bouche. Personne n'avait jamais fait preuve d'autant de gentillesse envers lui dans sa vie, à l'exception de Maggie. C'était à Quinn qu'il devait tous les nouveaux horizons qui s'ouvraient maintenant à lui, et il ne l'oublierait jamais. Maggie et Quinn étaient devenus ses meilleurs amis.

Assise à côté de lui, Michelle observait la scène en silence, et elle l'embrassa lorsqu'il se rassit. Maggie, qui avait eu l'occasion de discuter avec elle au cours de la soirée, avait découvert avec plaisir une jeune fille charmante, mais très jeune et visiblement impressionnée par ses hôtes. A vingt-quatre ans, Michelle aurait presque pu être sa fille. Elle venait de terminer ses études d'infirmière et, à l'évidence, aimait et admirait profondément Jack.

Après avoir à nouveau rempli les flûtes, Quinn emmena celui-ci à l'écart, pendant que les deux femmes bavardaient. Ils montèrent sur le pont supérieur et s'installèrent confortablement.

— J'ai un projet dont je voudrais te parler, commença Quinn en allumant un cigare. Pour être plus précis, il s'agit d'une offre et j'espère que tu accepteras.

Jack sentit que le moment était très important. La confiance que Quinn plaçait en lui était le plus beau cadeau qu'il pût lui faire.

— J'ai recruté le capitaine et l'équipage pour mon nouveau bateau. Ils doivent tous me rejoindre en septembre aux Pays-Bas, afin d'effectuer les essais en mer. Ce que je veux te demander… ou te proposer, plutôt… c'est de venir avec nous.

— Pour les essais ?

Jack n'avait pu masquer sa surprise et Quinn éclata de rire.

— Non. En tant que membre d'équipage. Tu débuterais comme simple matelot, mais si tu apprends à naviguer aussi vite que tu as appris à lire, tu seras capitaine avant longtemps.

— Tu es sérieux ?

L'espace d'un instant, Jack eut envie de courir faire ses valises. Mais la réalité se rappela rapidement à lui et la déception remplaça la joie sur son visage.

— Tu en es capable, je t'assure, dit Quinn, interprétant sa réaction comme une peur de l'échec. Je le sais. Ce sera une expérience unique pour toi.

— Je n'en doute pas. Mais je ne peux pas accepter.

— Pourquoi ?

Quinn était choqué, et surtout très déçu. Il avait espéré que Jack réfléchirait à son offre et qu'il se montrerait au moins tenté par la perspective de partir avec lui. En réalité, c'était le cas, mais Quinn avait bouleversé la vie du jeune homme bien plus qu'il ne l'imaginait. Peut-être même au-delà de ses espérances.

— Je vais m'inscrire à la fac, expliqua Jack, pour devenir architecte. Je comptais t'annoncer ça ce soir, mais j'ai été si touché par le diplôme que tu m'as remis que je n'y ai plus pensé. C'est ce que je veux être. Et comme je m'y mets un peu tard et que les études sont assez longues, je peux difficilement m'accorder une année sabbatique pour faire le tour du monde avec toi, même si ce n'est pas l'envie qui me manque.

— Je savais que je n'aurais pas dû t'apprendre à lire, plaisanta Quinn, partagé entre la fierté et la tristesse.

Plus que tout, il aurait voulu que Jack vienne avec lui. Autant il était persuadé qu'emmener Maggie n'aurait pas été une bonne idée, autant il aurait adoré prendre le jeune homme sous son aile pour en faire un marin. Il aurait eu l'impression d'avoir un fils à bord. Mais il n'en demeurait pas moins impressionné par sa décision, qu'il respectait totalement. Jack avait bien le droit de poursuivre son rêve, lui aussi.

— Cela me prendra beaucoup de temps d'obtenir mon diplôme, dit celui-ci, mais je veux tenter ma chance. Comme il faut que je travaille pour vivre, je suivrai des cours du soir en essayant de préparer le maximum de matières à la fois. Et puis… Michelle et moi venons de nous fiancer. On va se marier à Noël.

— Seigneur, je vois que tu as été très occupé ces dernières semaines ! A quand cela remonte-t-il ?

— On s'est décidés pendant que tu étais aux Pays-Bas.

— Eh bien, toutes mes félicitations !

Mais pour lui, c'était comme s'il venait à nouveau de perdre son fils. Non seulement Jack partait à l'université, mais en plus il allait se marier. Il n'y avait donc pas le moindre espoir qu'il change d'avis. Faisant contre mauvaise fortune bon cœur, Quinn lui sourit. Puis ils se levèrent pour retourner auprès de Maggie et Michelle. Bien qu'il ne l'eût pas mise au courant de son projet, Maggie avait senti que Quinn avait quelque chose à demander à Jack, et en le voyant elle comprit tout de suite que leur conversation ne s'était pas déroulée comme prévu.

— Notre troisième mousquetaire ici présent a une nouvelle importante à nous communiquer, déclara Quinn avec une certaine grandiloquence, masquant ainsi son désarroi derrière une attitude faussement joviale. Non seulement il entrera à l'université cet automne, mais Michelle et lui vont se marier à Noël.

A ces mots, la jeune fille rougit tandis que Maggie poussait un cri de joie et se levait pour les embrasser, ravie pour eux. Après une nouvelle coupe de champagne et un cognac, Quinn retrouva sa gaieté, mais il ne put dissimuler sa tristesse lorsque, après le départ de Jack et Michelle à 1 heure du matin, Maggie et lui allèrent se coucher.

— Tu voulais l'engager dans ton équipage, n'est-ce pas ? dit Maggie alors qu'il était allongé dans le lit.

— Comment le sais-tu ? s'étonna-t-il.

— Je te connais, c'est tout. Je me demandais même quand tu lui en parlerais. Jack aurait certainement fait un bon marin, mais tu lui as offert d'autres possibilités, Quinn. Je trouve ça génial qu'il ait décidé d'entamer des études. Grâce à toi, il peut envisager un avenir meilleur que celui qu'il imaginait avant de te rencontrer, meilleur même que celui de marin.

Tout en disant cela, Maggie sourit et songea qu'elle n'avait jamais autant aimé Quinn qu'à cet instant. Elle adorait sa vulnérabilité, sa générosité et son entêtement à vouloir faire le bien. Beaucoup ne l'auraient jamais décrit en ces termes, mais c'est ainsi qu'elle le voyait et pourquoi elle en était tombée amoureuse. Il n'avait plus rien à voir avec le requin de la finance qu'avaient connu ses anciens associés ou le père égoïste qu'avait détesté Alex. Quinn se laissait guider à présent par son cœur. Malgré sa richesse et sa force, il était devenu humble, ce qui le grandissait encore aux yeux de Maggie.

— Tu es déçu ? s'enquit-elle.

— Malheureusement oui. Mais je suis aussi content pour Jack. Il a raison d'aller à l'université. Et Michelle, comment la trouves-tu ?

— Elle est charmante et elle l'adore.

Simplement elle avait paru très jeune à Maggie, mais Jack l'était aussi à sa façon. L'un et l'autre partageaient une certaine innocence, et elle était prête à parier qu'ils seraient heureux ensemble.

— Ça ne suffit pas pour se marier, poursuivit Quinn.

Pour lui, le mariage ne devait pas être pris à la légère, surtout à présent qu'il avait pleinement conscience de ses manquements dans ce domaine.

— Peut-être pas, répliqua Maggie. Mais parfois, il faut simplement avoir confiance en soi et croire en l'autre.

— Moi, je me connais trop bien pour me faire de nouveau confiance, affirma-t-il, toujours aussi dur envers lui-même. Mais j'ai confiance en toi, par contre.

— Et tu as raison, murmura-t-elle, émue par la manière dont il la regardait. C'est réciproque, tu sais.

— Je ne pense pas que ce soit une bonne chose. Et si je te fais souffrir ?

Il savait que ce serait le cas lorsqu'il partirait, même si elle avait accepté leur liaison en connaissant les règles et en sachant comment cela se terminerait.

— Je ne pense pas que tu me feras souffrir. Pas volontairement, du moins. Je pleurerai sûrement quand tu t'en iras, ça j'en suis certaine. Mais tu ne m'as jamais menti, tu n'as jamais prétendu être différent de ce que tu étais. Ce sont ces choses-là qui blessent, Quinn. Pour le reste, ce sont les accidents de la vie que personne ne peut prévoir ni empêcher. Tout ce qui compte, c'est la façon dont on réagit alors. Rien n'est jamais garanti dans un couple. Ce qui est important, c'est faire du mieux possible.

Et c'était bien là le problème justement, car Quinn savait qu'il n'avait pas donné le meilleur de lui-même à ses proches – contrairement à Jane, et contrairement aussi à Maggie, d'après ce qu'il connaissait d'elle. Et aujourd'hui, il devait vivre avec ce remords permanent. Il ne pouvait effacer tous les torts qu'il avait causés et surtout il ne voulait pas blesser Maggie. Il était hors de question qu'il la fasse souffrir, même si elle était consentante. Et si cela supposait de la protéger contre son gré, il n'hésiterait pas. Il ne méritait pas plus son amour qu'il n'avait mérité celui de Jane. Le journal de celle-ci et la souffrance qu'il y avait découvert l'en avaient totalement convaincu.

— Ne sois pas si dur avec toi-même, murmura Maggie en se blottissant contre lui dans le noir.

— Pourquoi ? Tu es trop bonne avec moi, répondit-il avec tristesse.

Il avait le cœur lourd à l'idée de la quitter bientôt et de ne pas emmener Jack. Malgré la joie que lui procurait son bateau, il savait que le jour où il s'en irait ne serait pas une victoire pour lui, mais une défaite. Il n'avait pas réussi à se montrer digne de Jane et, d'une certaine manière, il recommençait avec Maggie. Elle avait accepté tout ce qu'il avait exigé d'elle et était prête à le laisser partir par amour pour lui. Ce geste prouvait plus que tout la force de ses sentiments, et en toute honnêteté, il savait qu'il lui demandait trop.

— Je t'aime, Quinn, chuchota-t-elle en levant les yeux vers lui.

Le clair de lune faisait régner une douce pénombre dans leur chambre, si bien qu'elle distinguait nettement son visage. Il la serra contre lui sans répondre. Il aurait voulu lui dire qu'il l'aimait lui aussi, parce que c'était la vérité, mais les mots restèrent bloqués dans sa gorge. Et tout en la tenant dans ses bras, la tête dans ses cheveux, une larme roula lentement sur sa joue.

12

Juillet et août furent des mois idylliques pour eux. Ils passèrent presque toutes leurs journées sur le bateau. Jack continuait de les rejoindre chaque vendredi soir car il tenait à ces soirées à trois. Comme il aimait voir Maggie et Quinn seuls, il venait sans Michelle. Cela ne remettait nullement en cause sa relation avec elle, sa fiancée le comprenait très bien et ne lui reprochait jamais de l'abandonner une fois par semaine.

C'est à cette période que la succession de Jane fut réglée. Quinn avait commencé à vider la maison et il triait et emballait toutes les affaires qu'elle contenait. Il avait envoyé plusieurs pièces chez Sotheby's à New York pour les mettre en vente et appelé Alex à Genève, afin de savoir quels meubles elle souhaitait conserver. Elle ne lui en demanda que quelques-uns, ainsi qu'un portrait de sa mère, et lui conseilla de mettre les autres dans un garde-meubles, car elle n'avait pas assez de place chez elle pour tout prendre. Mais chaque fois qu'ils se parlaient, elle s'arrangeait pour que cela dure le moins longtemps possible. Quinn ne l'avait pas vue depuis l'enterrement de Jane et il fit part de son désarroi à Maggie, un jour qu'ils prenaient le soleil sur le pont du *Molly B.*

— Qu'est-ce que je peux faire ? lui demanda-t-il. Il n'y a pas moyen de discuter avec elle. Elle m'a complètement rayé de sa vie.

Il lui raconta ses coups de fil concernant les meubles et la manière dont Alex écourtait ses appels, dès qu'ils en avaient terminé avec les questions pratiques.

— Elle finira par changer d'avis, le rassura Maggie. Attends qu'elle soit confrontée à un coup dur et tu verras. Elle reviendra vers toi, Quinn. C'est ta fille. Elle a besoin de toi autant que toi d'elle.

— Non, ça m'étonnerait beaucoup, répondit-il avec tristesse, songeant combien Jane aurait souffert de les voir si distants, Alex et lui. Elle a son mari et ses fils. Elle se débrouille très bien sans moi.

— C'est sa façon à elle de te punir, mais elle n'agira pas ainsi éternellement. Un jour, elle comprendra quel homme tu es vraiment et pourquoi tu n'as pas toujours été là pour elle.

— Je ne suis pas sûr de le comprendre moi-même. A l'époque, je n'arrêtais pas de courir. Je croyais construire quelque chose d'important – de plus important encore que mes enfants ou que Jane. En fait, je me suis trompé dans mes priorités.

Mon seul but dans la vie était l'empire que je bâtissais, l'argent que je gagnais et les contrats que je signais. Je suis passé à côté de l'essentiel, sans même m'en rendre compte.

Il repensa à Doug et à Jane, et à la rapidité avec laquelle l'existence basculait parfois, emportant avec elle toute chance de se racheter. Il s'en était aperçu trop tard.

— Beaucoup d'hommes font ça, Quinn…

Maggie se montrait si compréhensive que, durant un bref instant, il regretta presque de ne pas l'avoir épousée, elle, au lieu de Jane. Il se le reprocha aussitôt, mais en fait, Jane lui apparaissait plus comme une victime désormais ; alors que Maggie, après tout ce qu'elle avait traversé, le comprenait mieux.

— Tu n'es pas le seul à avoir agi ainsi, ajouta Maggie. Il arrive que des femmes quittent leur mari pour cette raison et que des enfants en veuillent à leur père parce qu'ils se sentent floués. La plupart des gens ne voient que ce qui leur a manqué, pas ce qu'ils ont eu et qui était souvent ce qu'ils pouvaient recevoir de mieux. Il est impossible d'être parfait. Et puis, on trouve aussi des femmes qui font la même chose et qui se consacrent à leur carrière en négligeant leur famille. Il est difficile de gagner sur tous les tableaux. Il y a forcément de la casse.

Mais Quinn savait qu'il avait fait souffrir ceux qu'il aimait. Il en était parfaitement conscient et se reprochait de ne pas avoir ouvert les yeux plus tôt.

— Pourquoi n'inviterais-tu pas Alex à venir en Hollande voir le bateau ?

— Elle déteste les bateaux, répondit-il avec tristesse en caressant les cheveux de Maggie.

— Et ses fils ?

— Ils sont trop jeunes. Ils ont sept et dix ans, et elle n'acceptera jamais de me les confier. Je n'ai déjà pas été fichu de m'occuper de Doug et elle quand ils étaient petits, comment veux-tu que je sache me débrouiller avec ses enfants ? Et sur un voilier, en plus !

— Je suis prête à parier que tu adorerais ça. Ils ont l'âge idéal pour apprendre à naviguer et ils ne risqueraient pas grand-chose sur le ketch. Même Alex n'y trouverait rien à redire. De plus, l'équipage t'aiderait. Je suis certaine qu'ils s'amuseraient comme des fous. Pourquoi ne proposerais-tu pas de les emmener pour les essais en mer ?

Il demeura songeur, mais n'imagina pas un instant qu'Alex puisse donner son accord, surtout après ce qui était arrivé à Doug. Sa fille haïssait les voiliers. Cela dit, Maggie avait raison, bien sûr. Les garçons ne courraient aucun risque sur le *Vol-de-Nuit*, à moins de sauter par-dessus bord, ce qui était peu probable. Ils étaient tous les deux trop raisonnables pour ça.

— Je vais y réfléchir, dit-il avant de se tourner vers Maggie pour l'embrasser. Tu es merveilleuse, lui murmura-t-il, sentant le désir monter en lui.

Leur relation était harmonieuse, douce et aussi pleine d'imprévu, à l'image de Maggie. Elle possédait tout ce qu'il recherchait et elle lui inspirait une passion comme il n'en avait jamais connu auparavant. Il était de plus en plus amoureux d'elle, et pourtant il ne parvenait toujours pas à le lui avouer.

Ils invitèrent Jack et Michelle à passer le week-end avec eux sur le bateau et partirent en direction de Santa Barbara. La mer était forte, comme Maggie l'aimait. Son bonheur aurait été parfait si Michelle n'avait pas eu le mal de mer. Lorsqu'ils rentrèrent et se quittèrent, Jack s'en excusa et Michelle paraissait toute gênée.

— La pauvre, compatit Maggie lorsqu'ils se retrouvèrent seuls ce soir-là. Elle est adorable.

Quinn, lui, craignait qu'elle ne soit pas assez intelligente pour Jack. « C'est la femme qu'il lui faut », ne cessait pourtant de répéter Maggie, plus sensible que lui aux qualités de la jeune fille. En fait, il regrettait encore que Jack ne l'accompagne pas. Il était persuadé que son ami se privait d'une expérience formidable et n'arrivait pas à comprendre que Jack ne rêvait que d'une vie stable, avec une famille et des racines, tout ce qu'il n'avait jamais eu et qu'il découvrait soudain.

— Tu lui as offert bien mieux qu'un périple autour du monde, lui assura Maggie. Grâce à toi, il va enfin réaliser son rêve. Personne d'autre n'aurait pu lui apporter un tel soutien.

— Je lui ai juste appris à lire. N'importe qui aurait pu en faire autant, protesta modestement Quinn.

— Oui, mais tu es le seul à t'en être donné la peine.

Quinn secoua la tête, heureux que ses leçons de lecture aient trouvé un si bel épilogue. Il savait que le lien qui l'unissait maintenant à Jack était indéfectible. Et il n'oubliait pas non plus que c'était le jeune homme qui avait fait entrer Maggie dans son existence. Elle semblait si timide, si triste et si effrayée la première fois qu'elle avait sonné à sa porte ! Et aujourd'hui elle était épanouie, et avait recouvré sa joie de vivre. Il savait qu'elle pleurait toujours la mort de son fils, mais elle avait perdu ce regard désespéré qu'elle avait au début.

— La tempête de l'année dernière a été une chance pour moi, lui avoua-t-il un jour. En éventrant mon toit, elle t'a fait entrer dans ma vie.

— C'est surtout moi qui ai eu de la chance, répliqua-t-elle en l'embrassant.

Maggie lui témoignait plus d'amour qu'il n'avait jamais espéré en recevoir. Leur relation était très différente de celle qu'il avait eue avec Jane. Sa femme et lui avaient été liés par le respect, la loyauté, une grande affection, et surtout la patience infinie de Jane. Ce qu'il partageait avec Maggie était plus vivant, plus joyeux, et beaucoup plus passionné.

Les derniers jours d'août furent particulièrement agréables pour eux. Ils naviguèrent presque en permanence et se rapprochèrent de plus en plus l'un de l'autre – peut-être parce qu'ils savaient que cette belle parenthèse se refermerait bientôt. Loin de chercher à se détacher de lui, Maggie semblait l'aimer chaque jour davantage. Quant à Quinn, il avait renoncé à lutter contre ses sentiments et s'abandonnait totalement à son amour pour elle. Il ne s'était jamais senti aussi bien avec une femme et avait enfin baissé la garde. Et curieusement, le rêve dans lequel Jane le suppliait avait cessé de hanter ses nuits depuis près de deux mois. Elle lui manquait toujours, mais différemment. Désormais, il était plus serein.

Il ne voulut être seul que lorsque les déménageurs vinrent vider sa maison. Une partie du mobilier devait être entreposée dans un garde-meubles. Il avait déjà envoyé à Alex ce qu'elle souhaitait conserver et mis de côté ce qu'il emporterait aux Pays-Bas en septembre. Une fois que tout serait terminé, il s'installerait sur le *Molly B.* jusqu'à son départ. Regarder les déménageurs emporter tous les objets qui avaient jalonné sa vie ne fut pas chose facile. Chaque fois qu'on en chargeait dans le camion, il éprouvait un pincement au cœur. C'était en quelque sorte des morceaux de sa vie qui disparaissaient sous ses yeux.

— Au revoir, Jane, dit-il à la fin en contemplant sa chambre.

Sa voix résonna dans la pièce. Il avait le sentiment d'abandonner sa femme. Et c'est la mine sombre qu'il rejoignit Maggie sur le bateau, ce soir-là.

— Ça va ? s'inquiéta-t-elle.

Il opina de la tête, mais parla à peine. Ce n'est qu'après le dîner, lorsqu'ils allèrent se coucher, qu'il lui raconta combien cela lui avait paru étrange de voir toutes ses affaires emportées dans un camion et de se retrouver seul dans sa maison vide.

— J'ai ressenti la même chose, quand je suis partie de chez moi, dit-elle. J'ai eu moi aussi l'impression d'abandonner mon fils et j'ai pleuré devant les déménageurs. Mais je n'ai pas regretté mon choix. Je n'aurais jamais pu me remettre de sa disparition si j'étais restée là-bas. Charles et moi avions vécu dans cette maison, et Andrew y était mort. Cela faisait trop de souvenirs à affronter. Toi aussi, tu verras, tu te sentiras mieux, une fois sur ton bateau.

Maggie demeurait fidèle à sa parole en ne cherchant pas à le retenir, et Quinn lui en était reconnaissant. Il regrettait de ne pouvoir l'emmener assister aux essais du *Vol-de-Nuit*, mais il devait partir juste après la fête du Travail[1], au moment

1. La fête du travail (Labor Day) est célébrée le premier lundi du mois de septembre aux Etats-Unis. (*N.d.T.*)

où elle reprendrait son poste de professeur. Ensuite, il reviendrait deux petites semaines à San Francisco.

Le temps fila très vite et la veille de son départ arriva, sans qu'il ait pris la moindre résolution en ce qui concernait Alex. Les encouragements de Maggie n'avaient pas suffi à lui faire décrocher son téléphone, tant sa crainte d'être de nouveau rejeté était grande. Ce soir-là, pourtant, il se décida enfin et s'installa à son bureau pour appeler sa fille.

— J'ai bien reçu les meubles, l'informa-t-elle dès qu'elle entendit sa voix. Merci beaucoup. Tout est arrivé en bon état. Ça a dû te coûter une fortune de les envoyer par avion.

— Ta mère aurait fait la même chose, lui assura-t-il, sentant Alex se raidir à cette évocation de Jane.

— Je suis contente d'avoir son portrait, reprit-elle. Où habites-tu maintenant ?

Quinn lui avait dit que tout était stocké dans un entrepôt. Il avait tenu à le faire avant de partir pour les Pays-Bas, afin d'avoir l'esprit tranquille et de pouvoir passer ses deux dernières semaines avec Maggie, sans plus avoir à se soucier de ce genre de détails.

— J'ai loué un voilier pour l'été et j'y resterai jusqu'à ce que mon bateau soit définitivement prêt. Et d'ailleurs, c'est la raison de mon appel.

— Quoi, le voilier que tu as loué ? dit-elle d'un ton perplexe, mais un peu moins glacial que lors de leurs précédentes conversations.

— Non, je voulais te parler des essais en mer de mon bateau, aux Pays-Bas. Je prends l'avion demain pour Amsterdam et je me demandais si je pouvais faire un détour par Genève.

— Ce n'est pas à moi de décider où tu vas, répliqua-t-elle sèchement.

— Ce serait pour te rendre visite, Alex. Je n'ai pas vu les enfants depuis l'été dernier. Ils ne connaîtront jamais leur grand-père à ce rythme-là.

Elle faillit rétorquer qu'elle non plus ne l'avait pas connu et que cela n'avait jamais eu d'importance pour lui, mais, pour une fois, elle résista à l'envie de le blesser.

— En fait, ajouta-t-il, j'ai une idée. Je me disais que peut-être… si tu es d'accord… enfin, si ça ne te dérange pas, je pourrais les emmener assister aux essais en mer. Horst et toi pourriez venir aussi, évidemment, mais je sais que tu ne raffoles pas des bateaux. Ce serait une expérience formidable pour Christian et Robert, et je serais ravi de passer quelques jours avec eux.

Un long silence accueillit cette proposition. Alex était si surprise qu'elle ne sut d'abord quoi répondre.

— Les emmener assister aux essais en mer ? répéta-t-elle. Tu ne penses pas qu'ils sont un peu jeunes pour ça ? Il faudrait que tu les aies à l'œil en permanence. Et est-ce que le bateau est sûr, au moins ?

Mais sous ce déluge de questions, sa voix avait perdu de sa dureté habituelle. Malgré elle, elle était touchée que Quinn s'intéresse à ses enfants. Jamais il n'aurait été capable d'un tel geste quelques années plus tôt.

— Evidemment qu'il l'est ! rétorqua Quinn. Sinon, c'est moi qui aurai des problèmes quand je prendrai la mer en octobre. Je t'assure que c'est sans danger, Alex. Les garçons seront emballés. Et encore une fois, tu peux venir, toi aussi.

Il voulait qu'elle comprenne qu'il serait ravi de la voir, même s'il savait qu'elle détestait les bateaux et que cette aversion était si profonde qu'elle ne risquait pas de disparaître en un jour. Seul Doug avait hérité de sa passion pour la voile.

— Il faut que j'en discute avec Horst, répondit-elle.

Elle semblait indécise, mais au moins n'avait-elle pas refusé d'emblée. Comme par miracle, il sentait que quelque chose avait changé dans son attitude envers lui.

— Je te rappellerai demain, avant de prendre l'avion, lui proposa-t-il. Je fais escale à Londres et, de là, Genève n'est qu'à deux pas.

Il se surprenait soudain à espérer, tout en craignant que son désir de consulter Horst ne soit qu'un prétexte pour retarder le moment de dire non. Maggie avait eu raison, cela ne coûtait rien de demander, mais Alex le laisserait-elle emmener ses enfants aux Pays-Bas ?

Lorsqu'il raccrocha et qu'il se tourna vers Maggie, celle-ci le fixait en souriant. Il n'avait pas parlé d'elle à sa fille, pour ne pas s'entendre reprocher de trahir la mémoire de Jane. De toute façon, cela n'aurait servi à rien. Dans cinq semaines, Maggie et lui se sépareraient. Alex n'avait pas besoin de savoir qu'il avait eu une liaison de plusieurs mois avant de quitter San Francisco.

— Alors ?

— Elle va en parler à son mari. Mais elle ne m'a pas raccroché au nez et ne m'a pas dit que j'avais perdu la tête ni qu'elle préférerait mourir plutôt que de me confier ses fils. C'est déjà ça.

— Croisons les doigts, alors !

Pendant tout le restant de la soirée, Quinn chassa Alex et ses petits-fils de son esprit pour ne se consacrer qu'à Maggie. L'idée de la quitter lui était de plus en plus pénible. Si seulement elle avait pu venir avec lui ! Les essais dureraient trois semaines et il lui avait dit de profiter du *Molly B.* aussi souvent qu'elle le voudrait en son absence. Mais elle lui avait répondu que cela la déprimerait trop de s'y trouver sans lui, ce qui l'avait beaucoup touché.

Cette nuit-là, ils s'aimèrent passionnément et restèrent dans les bras l'un de l'autre, sans que Maggie puisse oublier que c'étaient ses derniers moments avec Quinn, même si elle savait qu'il reviendrait pour deux semaines. Peu après s'être levé, Quinn rappela Alex, la gorge sèche. Avec le décalage horaire, l'après-midi tirait déjà à sa fin à Genève et il entendit les garçons chahuter en arrière-fond.

— Qu'en pense Horst ? s'enquit-il, lui donnant ainsi la possibilité de mettre son refus sur le compte de son mari.

— Je... Il... J'ai posé la question à Christian et Robert, lui avoua-t-elle en toute franchise. Ils ont envie de partir avec toi.

A ces mots, Quinn fut submergé d'émotion. Il ne s'était pas rendu compte jusqu'alors à quel point il était vulnérable face à sa fille. Car, même s'il s'y était préparé, il savait qu'un nouveau refus l'aurait blessé.

— Et toi, tu es d'accord ? demanda-t-il, priant pour qu'elle accepte.

Elle n'avait pas explicitement dit oui, et il n'était pas certain de sa réponse.

— Oui, papa.

C'était la première fois qu'elle lui faisait confiance. Elle qui, jusqu'alors, n'avait eu que colère et ressentiment envers lui acceptait de lui confier ses fils. Il n'aurait pu espérer plus grande preuve d'amour de sa part. La guerre entre eux n'était peut-être pas encore terminée, mais au moins était-elle suspendue.

— Tu as intérêt à ne pas les quitter des yeux, l'avertit-elle. Chris est encore bébé, mais Robert est déjà très indépendant. Ne le laisse pas grimper aux mâts ou faire des choses dangereuses.

— Tu veux venir avec eux ? lui proposa-t-il aussitôt.

— Je ne peux pas. Je suis enceinte de six mois.

Il accusa le coup, tant cette nouvelle lui rappelait combien ils étaient devenus distants l'un de l'autre. Mais un premier geste de rapprochement venait de se produire et il espérait que ce ne serait pas le dernier.

— Je prendrai soin d'eux, je te le promets.

Il était prêt à tout pour qu'Alex ne vive pas le même cauchemar que Jane et lui autrefois. Ou plutôt ne revive pas. Car la mort de Doug avait été une tragédie pour elle aussi, et cela l'avait tant traumatisée qu'elle avait tendance désormais à surprotéger ses enfants. Sa décision de les lui confier revêtait donc une importance particulière. C'était presque un pardon.

— Merci, Alex. Tu ne peux pas imaginer tout ce que cela signifie pour moi.

— Je crois que c'est ce que maman aurait voulu que je fasse, répliqua-t-elle d'une voix bourrue sans lui avouer qu'elle avait hésité jusqu'au dernier moment.

Connaissant l'aversion de Jane pour les bateaux, Quinn en doutait, mais elle aurait sûrement été ravie de voir sa fille et son mari se réconcilier.

— Dès que j'aurai les billets d'avion, je te téléphonerai pour te dire à quelle heure j'arriverai et quand décollera l'avion pour les Pays-Bas. Il faudra peut-être que tu me retrouves directement à l'aéroport de Genève avec les garçons. Je m'arrêterai plus longuement à notre retour – si tu es d'accord, bien sûr.

— Oui, ça me va très bien.

L'offre de Quinn était une sorte de cadeau du ciel pour elle ; le signe d'un rapprochement avec son père car, en dehors de son mari et de ses enfants, elle n'avait plus que lui.

— Combien de temps dureront les essais ? demanda-t-elle.

— Trois semaines ; mais je pourrai revenir plus tôt s'ils doivent retourner à l'école. Je les ramènerai moi-même ou je demanderai à un membre de l'équipage de les accompagner. Mais j'aimerais te voir.

— Garde-les avec toi aussi longtemps que tu voudras, papa.

Ses enfants n'auraient peut-être plus jamais l'occasion de vivre une telle expérience, et même s'ils rataient quelques jours de classe, à leur âge ce n'était pas grave. De plus, elle savait qu'ils seraient ravis de faire de la voile avec leur grand-père, car, contrairement à elle, ils adoraient les bateaux.

— Merci, Alex, répéta-t-il. Je te rappellerai plus tard.

Son avion devait partir à 18 heures ce soir-là, et il avait encore une foule de choses à régler, dont des papiers à signer chez son avocat.

— Qu'a-t-elle dit ? l'interrogea Maggie dès qu'il eut raccroché.

— Ils viennent avec moi, répondit-il avec émotion.

Aussitôt, elle se jeta à son cou en poussant un cri de joie. Elle était aussi heureuse que Quinn et savait à quel point le pardon de sa fille était important pour lui. Alex n'aurait pu lui faire de plus beau cadeau.

Quinn fit sa valise et, une demi-heure plus tard, fila chez son avocat. Il devait retrouver ensuite Maggie chez elle à 15 heures pour qu'elle le conduise à l'aéroport. Il arriva en costume et cravate, avec son attaché-case à la main. De son côté, elle avait mis une petite robe noire et des talons, et était particulièrement ravissante.

— J'aurais tant aimé que tu m'accompagnes, soupira-t-il en la voyant si belle.

— Moi aussi, murmura-t-elle en se rappelant leur bref séjour aux Pays-Bas, trois mois plus tôt.

Le *Vol-de-Nuit* était un formidable rival, contre lequel elle ne pouvait lutter. Elle savait qu'il remporterait la victoire, car il correspondait au besoin de liberté de Quinn, et elle ne pouvait rien contre cela. De plus, elle l'aimait trop pour ne pas accepter son choix.

A l'aéroport, Quinn l'embrassa une dernière fois en lui promettant de l'appeler dès qu'il serait sur le bateau. Il espérait que le système de communication fonctionnerait sans problème.

— Sinon, je me rabattrai sur une cabine téléphonique, plaisanta-t-il.

— Amuse-toi bien, lui murmura-t-elle en l'embrassant avant qu'il ne s'éloigne. Et profite de tes petits-enfants !

Il plongea alors son regard dans le sien en lui souriant et lui déclara :

— Je t'aime, Maggie.

Jamais il ne le lui avait dit auparavant, mais il ne voulait plus répéter ses erreurs passées en taisant ses sentiments. Il lui devait tant. Sans elle, il n'aurait jamais contacté Alex.

13

Quinn appela Alex de l'aéroport et elle lui répondit d'une voix ensommeillée. Il était 1 heure du matin en Suisse, et il lui donna vite son heure d'arrivée et le numéro de son vol avant de lui conseiller de se rendormir rapidement. Il avait hâte de la revoir et était heureux qu'elle attende un troisième enfant. Il savait que Jane aurait été ravie elle aussi mais, pour une fois, ce ne fut pas vers elle que ses pensées se tournèrent, tandis qu'il patientait, mais vers Maggie, et elle seule. Il commençait à réaliser à quel point il aurait du mal à se séparer d'elle. Alors qu'elle l'avait aidé à panser ses blessures et à se sentir mieux, il allait rouvrir ses plaies et souffrir à nouveau, mais il n'avait pas le choix. Retarder son voyage ne ferait qu'aggraver la situation, et emmener Maggie n'était pas envisageable. Il s'était juré, en mémoire de Jane et pour expier ses fautes, de rester seul jusqu'à la fin de ses jours. Sinon, il en était persuadé, la culpabilité le rongerait à jamais. La preuve n'en était-elle pas qu'il avait cessé de faire des cauchemars depuis qu'il avait conclu ce pacte avec sa conscience ? Ainsi qu'il l'avait expliqué à Maggie, il avait besoin de solitude et, plus que tout, de liberté. Pour cela, il devait partir. Renoncer à toute vie à deux. La jeune femme devait retourner vers ses amis, ses connaissances, son travail. Il le fallait absolument. Pourtant, pour la première fois depuis la mort de Jane, il commençait à douter de tenir autant à son indépendance.

C'est une fois que l'avion eut décollé qu'il se sentit mieux et retrouva toute sa détermination. Son attachement à Maggie n'était probablement qu'un effet de l'âge, pensa-t-il. C'était une forme de faiblesse qu'il ne pouvait tolérer.

Chose très rare, il réussit à dormir durant le vol. Il prit sa correspondance à Londres et arriva à Genève à 17 heures. Dès qu'il sortit de l'avion, il repéra Alex. La vue de son ventre rond le toucha. Il ne l'avait jamais vue enceinte lorsqu'elle attendait Christian et Robert. Ceux-ci la suivaient avec leurs sacs à dos. Portraits crachés de leur mère, ils renvoyaient l'image de deux blondinets pleins de vie, qui chahutaient en riant.

— Tu as fait bon voyage ? demanda Alex, l'air sérieux.

Elle ne l'embrassa pas, ne lui tendit pas les bras, ne fit pas le moindre geste vers lui. Ils ne s'étaient pas vus depuis l'enterrement de Jane et ce jour-là elle était partie sans lui dire un mot.

— Tu es resplendissante, déclara-t-il en souriant.

Il aurait voulu abolir cette distance entre eux, mais se retint en songeant que c'était à elle de le faire quand elle y serait disposée.

— Merci, papa...

Ses yeux s'embuèrent soudain et elle se jeta dans ses bras. Il la serra fort contre lui, comme il le faisait quand elle était enfant, ce dont elle ne se souvenait plus.

— Tu m'as manqué, balbutia-t-elle d'une voix entrecoupée de sanglots.

— Toi aussi, ma chérie. Toi aussi...

Indifférents à la scène qui se jouait entre leur mère et leur grand-père, Christian et Robert ne cessaient de tourner autour d'eux en essayant d'attirer leur attention. Dès que Quinn laissa Alex, ils se ruèrent sur lui pour lui poser mille questions dans un anglais à l'accent suisse très prononcé. Il leur proposa alors d'aller manger une glace dans un restaurant à proximité en attendant de prendre l'avion – offre qui leur arracha des cris de joie. Ils n'arrêtaient pas de parler et Alex souriait de les voir si contents. A côté d'elle, Quinn songeait avec émotion que sa fille n'avait jamais été aussi belle, et aussi qu'il aurait aimé que Maggie soit là. Il était sûr qu'elles se seraient très bien entendues.

— Tu as l'air en forme, papa, le complimenta Alex lorsqu'ils se retrouvèrent assis devant leurs glaces.

Quinn n'avait commandé qu'un café et il commençait à ressentir la fatigue du voyage et du décalage horaire. Mais elle disparaissait dès qu'il regardait Alex. Toute la rancœur qu'elle avait nourrie contre lui semblait s'être envolée comme par magie, et il n'en revenait toujours pas.

Une demi-heure plus tard, les enfants et lui embarquèrent pour Amsterdam. Ils arriveraient à 19 h 30 et seraient sur le bateau deux heures plus tard. Quinn avait averti l'équipage de la venue de ses petits-fils et demandé à l'une des deux hôtesses de l'aider à s'en occuper. Il rassura encore une fois Alex avant de la quitter : il veillerait sur eux comme sur la prunelle de ses yeux et les ramènerait aussitôt si jamais ils voulaient rentrer plus tôt que prévu. En attendant, il lui conseillait de profiter de ses trois semaines de tranquillité avec son mari. En partant, il se retourna à plusieurs reprises vers sa fille, tandis qu'elle agitait la main en signe d'au revoir et s'essuyait les yeux.

Quinn fut ensuite très occupé avec les enfants. Ils ne s'étaient pas vus depuis plus d'un an, mais rien ne l'aurait laissé deviner. Christian et Robert étaient tout à fait à l'aise avec lui et le bombardèrent de questions sur son bateau. Ils le faisaient rire et l'amusaient, et le temps passa très vite. Quinn fut tout de même reconnaissant aux membres du personnel navigant d'avoir apporté des albums de coloriage et des crayons pour les distraire.

A Amsterdam, ils furent accueillis par le capitaine, son premier second et Tem Hakker, qui les conduisit jusqu'au chantier naval. Impressionnés par la taille du *Vol-de-Nuit*, Christian et Robert ne firent aucune difficulté pour suivre sagement l'hôtesse, qui les emmena dîner.

Quinn entama alors un rapide tour du bateau avec Tem Hakker. Il fut satisfait par tout ce qu'il vit, ainsi que par les réponses apportées à ses nombreuses questions. Tem, qui devait participer aux essais avec ses fils, avait veillé à ce que tout fût prêt pour le départ. Leur itinéraire était déjà tracé et il avait établi une liste des différentes manœuvres à effectuer pour tester le voilier.

Il était minuit lorsque Quinn gagna enfin sa cabine. Poussant un soupir de soulagement, il se laissa tomber sur un siège et s'empressa de téléphoner à Maggie.

— Tout va bien avec les garçons ?

— Super. Ils se conduisent comme si on s'était vus la semaine dernière et ils adorent le bateau.

Il était allé vérifier qu'ils étaient bien installés dans leur cabine, mais Christian et Robert dormaient déjà à poings fermés. Ils semblaient sages comme des images et ressemblaient à de petits anges, mais Quinn se doutait qu'ils seraient debout à l'aube le lendemain, ayant refait le plein d'énergie durant la nuit.

— Et le *Vol-de-Nuit* ? demanda Maggie.

— Il est plus beau que jamais.

Pendant une demi-heure, il lui décrivit tous les changements opérés sur le bateau depuis qu'elle l'avait vu. Il était plus extraordinaire encore, maintenant qu'il était à l'eau. Tem Hakker avait prévu une petite cérémonie en octobre pour le baptiser, et Quinn aurait aimé qu'Alex soit la marraine, si elle avait pu voyager. A défaut, ce serait la femme de Tem.

— Comment s'est comportée ta fille avec toi ?

— Elle est métamorphosée. Comme je ne l'ai jamais vue. Et je crois qu'elle m'a pardonné. En tout cas, elle s'est montrée adorable. Si tu savais comme je suis content ! Et pourtant, on ne peut pas dire que je le mérite.

Il était infiniment reconnaissant à Maggie d'avoir été à l'origine de cette réconciliation. Elle avait transformé sa vie par mille petits gestes, et celui qui l'avait rapproché de sa fille était assurément le plus important pour lui. Il ne s'était pas rendu compte jusqu'alors combien Alex lui avait manqué. La revoir avait été comme revoir Jane. Bien qu'un peu plus grande qu'elle, Alex lui ressemblait comme deux gouttes d'eau.

— Si, tu le mérites, objecta Maggie avant de se souvenir des derniers mots qu'il lui avait adressés à l'aéroport. Et merci pour ce que tu m'as dit en partant.

C'était le plus beau cadeau qu'il pouvait lui faire, et le seul qu'elle attendait de lui.

— Qu'ai-je dit ? la taquina-t-il.

Déjà, il avait hâte de la retrouver. Les trois semaines à venir allaient être décisives à tous points de vue. Non seulement il allait tester son bateau, mais aussi son désir d'indépendance et sa volonté de respecter le pacte qu'il avait conclu avec lui-même, à savoir se sacrifier et sacrifier l'amour qu'il portait à Maggie, pour honorer sa dette envers Jane.

— Tu as dit que tu m'aimais, lui rappela-t-elle. Tu ne peux pas le retirer, maintenant.

— Et je n'en ai pas l'intention.

Mais cela ne changeait rien, puisqu'il était sur le point de la quitter. Il n'avait pas voulu être cruel en lui révélant qu'il l'aimait. Son but n'était pas de renforcer le lien qui les unissait et de le briser au moment de partir. Mais, connaissant la valeur qu'elle attachait à cet aveu, il avait tenu à le lui dire. Il l'aimait et elle devait le savoir.

Ils discutèrent encore quelques instants, puis raccrochèrent après que Quinn eut promis à Maggie de lui rapporter plein de photos du voilier. Dix minutes plus tard, épuisé mais heureux, il sombra dans un profond sommeil. Dorénavant, sa place était sur le *Vol-de-Nuit*.

14

Les essais en mer donnèrent entière satisfaction à Quinn. Tous les systèmes de navigation fonctionnaient parfaitement, ses petits-fils s'amusaient comme des fous et l'équipage se révéla encore plus professionnel qu'il ne le pensait. Les semaines passèrent ainsi à la vitesse de l'éclair. Il appela plusieurs fois Maggie, qui lui raconta sa reprise du travail au lycée. Elle était fatiguée, débordée, et avait oublié combien enseigner pouvait être difficile lorsqu'on avait affaire à des élèves agités, mais dans l'ensemble elle lui parut contente et surtout impatiente de le revoir. Sentant cela, il se força à lui téléphoner moins souvent qu'il n'en avait envie. L'heure était venue de commencer à se détacher d'elle, s'il ne voulait pas que la séparation définitive soit trop douloureuse. Il ne souhaitait pas une rupture complète et espérait la revoir de temps en temps, mais il était déterminé à ne pas la faire entrer dans sa nouvelle vie. Pourtant il avait hâte de la revoir.

Les deux semaines qu'il passerait à San Francisco seraient leur cadeau d'adieu.

Quand les essais furent terminés, quitter le bateau fut un déchirement. Les enfants pleuraient en disant au revoir aux membres d'équipage, mais Quinn leur promit qu'ils pourraient revenir si leurs parents les y autorisaient. Lui-même ne demandait pas mieux. Ils étaient gentils, bien élevés, affectueux et intelligents et avaient ensoleillé son voyage. De plus, ils lui avaient fait découvrir la continuité de la vie, car excepté la couleur des cheveux, Robert lui rappelait en effet beaucoup Doug au même âge. Jane avait toujours affirmé que son fils tenait davantage de lui, mais il se rendait compte aujourd'hui que son fils et son petit-fils avaient hérité de ses traits à elle. En y repensant ce jour-là, Quinn réalisa combien Doug lui manquait. C'était la première fois en vingt-quatre ans qu'il s'autorisait à se l'avouer. Tout son être semblait s'ouvrir à des émotions trop longtemps enfouies, au point qu'il faillit pleurer en apercevant Alex à l'aéroport.

Ce soir-là, ce fut à qui, de Robert et de Christian, épaterait le plus leurs parents avec le récit de leurs exploits. Ils avaient l'impression d'avoir vécu de fabuleuses aventures et, à l'évidence, conserveraient un souvenir impérissable de leurs vacances. Le lendemain, avant qu'il ne parte, Alex remercia de nouveau Quinn et lui avoua combien elle était heureuse qu'il soit venu. Toute sa colère s'était envolée, comme une maladie dont elle aurait fini par guérir miraculeusement. Elle lui confia d'ailleurs ce matin-là qu'elle avait prié pour se libérer de cette rage qui l'avait habitée si longtemps.

— Et toi, papa, ça ira ? s'enquit-elle.

La vie solitaire qu'il projetait de mener sur son bateau l'inquiétait un peu, même s'il lui avait assuré la veille qu'il n'aspirait à rien d'autre.

— Ça ira très bien, affirma-t-il. Une fois en mer, je serai un homme comblé.

Il en était même certain, désormais. Il avait apprécié chaque instant passé à bord du *Vol-de-Nuit* et cela l'avait conforté dans sa décision – malgré Maggie, ou peut-être justement à cause d'elle. Il ne se donnait pas le droit de vivre avec une autre femme que Jane. Maggie avait été un rayon de soleil au milieu de la tempête qu'il traversait, mais il était temps pour lui de poursuivre son chemin.

Il promit à Alex de revenir la voir après son accouchement, quel que soit l'endroit où il se trouverait alors. Selon ses calculs, il serait en Afrique à ce moment-là, mais il pourrait prendre un avion pour la rejoindre plus rapidement. Sean Mackenzie et lui avaient déjà discuté longuement de leur itinéraire, et le capitaine lui avait fait d'excellentes suggestions. Quinn était maintenant complètement tourné vers sa nouvelle existence et commençait déjà à oublier la vie qu'il avait menée à San Francisco jusqu'à très récemment.

Maggie le ressentit dès son retour. En apparence, Quinn semblait le même que lorsqu'il l'avait quittée trois semaines plus tôt, et pourtant il était différent. Elle ne parvenait pas à savoir en quoi, mais elle s'en rendit compte dès la première nuit. Il ne l'aimait plus avec la même passion, il semblait déjà ailleurs.

Elle essaya de passer le plus de temps possible avec lui, mais bien qu'elle eût prévu de donner peu de devoirs à ses élèves durant ces deux semaines, elle dut consacrer plusieurs heures chaque soir à corriger des copies et à préparer ses cours. De son côté, Quinn avait encore des formalités administratives à régler, si bien qu'ils ne se retrouvaient qu'au moment de se coucher. C'est là que, allongée contre lui dans leur cabine du *Molly B.*, Maggie éprouvait de nouveau toute la force de leur amour, et il en allait de même pour lui. Le reste du temps, Quinn s'efforçait d'être plus distant, afin de rendre leur séparation moins difficile pour elle. Il n'était plus l'égoïste qu'il avait été et ne voulait plus blesser qui que ce soit, Maggie encore moins que les autres.

Jack vint dîner avec eux le vendredi soir. Il adorait ses études et Michelle préparait leur mariage. Quinn proposa de louer un bateau pour leur lune de miel, mais le jeune homme refusa à regret. Michelle souffrait trop du mal de mer pour apprécier un tel cadeau.

Le lendemain, Quinn et Maggie partirent faire une promenade en mer. Le temps était chaud et ensoleillé et le vent parfait pour naviguer. La première semaine s'acheva ainsi, calme et sans souci. Tous deux s'étaient arrangés pour passer plus de temps ensemble. Ils discutaient longtemps le soir, comme pour emmagasiner un maximum de souvenirs. Mais Maggie voyait approcher l'heure de la séparation avec angoisse. C'était comme si elle se préparait à la mort d'un être cher ou à un enterrement. Elle avait le sentiment d'être bientôt privée d'oxygène. Bien qu'elle eût su depuis le début à quoi s'attendre, elle n'imaginait pas que cela la ferait autant souffrir.

Durant la deuxième semaine, le fait de sentir la fin approcher fit apparaître des tensions entre eux. Il ne pouvait en être autrement. Maggie recommença à rêver d'Andrew et une nuit elle fit un cauchemar si horrible qu'elle se réveilla en hurlant. Quinn ne pouvait rien pour elle. Il aurait fallu pour cela qu'il change ses plans et décide de rester, mais Maggie ne l'aurait jamais accepté. Simplement, plus les jours passaient et plus elle se sentait mal, au point d'étouffer et d'avoir du mal à respirer. Lorsque leur dernier week-end arriva, elle était dans un tel état que Quinn comprit ce qu'il lui faisait endurer, même si aucune plainte ne sortit de ses lèvres. L'espace d'un instant, il faillit lui proposer de venir avec lui, mais il se reprit en se rappelant ce qu'il devait à Jane. Il tenta de le lui expliquer une nouvelle fois, mais la souffrance de Maggie était devenue telle qu'elle ne chercha plus à lui cacher ce qu'elle pensait de son raisonnement.

— J'ai du mal à croire que Jane aurait exigé ça de toi, dit-elle. J'ai lu ses poèmes, Quinn. Elle t'aimait. Elle n'aurait pas voulu que tu sois malheureux.

Le plus curieux était qu'il ne l'était pas, en fait. Certes, il détestait l'idée de la quitter, mais il éprouvait aussi un sentiment de paix, comme un moine se préparant à une retraite spirituelle. Son âme tourmentée avait besoin du repos que lui procureraient ses voyages. Il n'avait plus l'énergie de refaire sa vie, et l'aurait-il eue qu'il estimait de toute façon ne pas mériter de seconde chance. Il s'était montré si peu à la hauteur durant son premier mariage… Il tenait trop à Maggie pour courir le risque de répéter les mêmes erreurs avec elle. Il souhaitait partir en sachant qu'il l'avait rendue heureuse. C'était tout ce qu'il avait à lui offrir. Ils s'étaient aimés passionnément, mais le moment était venu de mettre un terme à leur liaison. Jack et lui s'étaient fait leurs adieux la veille au soir, et il ne lui restait plus que ce dernier week-end à partager avec Maggie, avant de prendre l'avion.

Le dimanche, elle put à peine parler. Il n'y avait plus rien à dire. Elle avait épuisé tous les arguments possibles. Si seulement elle avait eu le talent de Jane pour écrire des poèmes, songea-t-elle. Peut-être aurait-elle su mieux exprimer sa douleur de perdre encore une fois un être cher.

Allongé sur le pont à côté d'elle, Quinn lui tint longuement la main cet après-midi-là. Quand vint le soir, il lui offrit un somptueux dîner avec caviar et champagne, mais Maggie y toucha à peine. Lorsqu'ils se retirèrent dans leur cabine, elle éclata en sanglots et le regarda avec tant de désespoir qu'il en vint presque à regretter d'être revenu après les essais du bateau. C'était lui infliger trop de souffrance.

Debout près du lit, en larmes, elle prononça alors les mots qu'il redoutait d'entendre.

— Quinn, s'il te plaît, emmène-moi avec toi.

— Je ne peux pas, Maggie. Tu le sais.

— Non, justement. Je ne vois pas pourquoi il faut qu'on s'impose ça.

— On s'était mis d'accord dès le début, lui rappela-t-il.

— La situation est différente, aujourd'hui. A l'époque, on ignorait qu'on tomberait amoureux l'un de l'autre. Je t'aime, Quinn.

— Je t'aime aussi, mais tôt ou tard je finirais par te faire du mal si on restait ensemble.

Alex lui avait pardonné. Jane l'aurait fait aussi, Maggie en était certaine. Mais lui ne parvenait pas à se pardonner. Et tant qu'il en serait ainsi, il ne pourrait jamais être heureux. La solitude était le prix à payer et il voulait que Maggie le comprenne.

— J'ai fait du mal à tous ceux que j'aimais, affirma-t-il. Ma fille, mon fils, Jane… Comment pourrais-je l'oublier ?

Aux yeux de Maggie, il était comme Charles, incapable de se pardonner ce qui était arrivé. Pour son ex-mari, elle avait été aussi coupable que lui, alors que Quinn, lui, ne s'en prenait qu'à lui-même. Mais dans les deux cas elle était la grande perdante.

— Tu ne pourras pas fuir éternellement, Quinn.

— Si. C'est ce que j'ai fait dans le passé, alors que je n'aurais pas dû. Aujourd'hui, je sais que j'agis pour le mieux. Ta vie sera meilleure sans moi, Maggie.

Il était impossible de le raisonner. Rien ne pourrait le faire changer d'avis, tant il était persuadé du bien-fondé de sa décision.

— Je ne veux pas d'une vie meilleure, protesta-t-elle néanmoins. Je veux être avec toi. Je ne te demande pas de m'épouser ni de trahir Jane. Tu peux rester son mari à jamais. L'essentiel pour moi, c'est qu'on soit ensemble. Comment peux-tu tirer un trait sur tout ce qu'on a vécu ? C'est insensé !

Et cela l'était d'autant plus qu'elle savait que lui aussi l'aimait. Mais pour Quinn c'était au contraire une raison supplémentaire de partir. Il devait ce sacrifice à tous ceux qu'il avait fait souffrir autrefois.

Elle finit par s'allonger et pleura dans ses bras une grande partie de la nuit. Tous deux avaient l'air accablés en se levant le lendemain. Maggie dut faire appel à toute sa volonté pour s'habiller et suivre Quinn jusqu'à la table du petit déjeuner. Elle s'assit et le regarda en silence, sans pouvoir retenir ses larmes. Elle ne s'était pas sentie aussi mal depuis la mort d'Andrew. La situation présente lui paraissait tout aussi cruelle et absurde qu'à l'époque. Comment Quinn pouvait-il la quitter parce qu'il l'aimait ?

— Je fais ce que je crois être juste, lui répéta-t-il. S'il te plaît, ne rends pas les choses encore plus difficiles qu'elles ne le sont.

Par amour pour lui, elle hocha la tête en tentant de se ressaisir. Il lui avait déjà dit qu'il ne voulait pas qu'elle l'accompagne à l'aéroport et elle n'avait pas insisté. De toute façon, elle se savait incapable de l'emmener là-bas. Il la prit une dernière fois dans ses bras et l'embrassa en s'efforçant de graver cet instant dans sa mémoire. Maggie lui caressa le visage avant de monter, la mort dans l'âme, dans son taxi. Celui de Quinn devait arriver peu après.

Il resta sur le pont du bateau à la regarder partir. Jusqu'au bout, ils ne se quittèrent pas des yeux. Il lui fit un dernier signe de la main et Maggie lui souffla un baiser, juste avant qu'il ne disparaisse de sa vue. Elle éclata alors en sanglots, indifférente au chauffeur qui la dévisageait en silence dans son rétroviseur. Il la conduisit chez elle et ce jour-là elle n'alla pas travailler. C'était au-dessus de ses forces. Prostrée dans sa cuisine, elle regarda l'horloge marquer les minutes, puis les heures. Et lorsqu'elle sut que l'avion de Quinn avait décollé, elle se cacha la tête dans les bras en pleurant de plus belle. Elle resta longtemps ainsi, effondrée sur la table, sans bouger. Après tous les mois merveilleux passés avec lui, il lui fallait maintenant tenir sa promesse, quel qu'en soit le prix. Elle devait laisser partir Quinn, le laisser faire ce qu'il avait décidé, même si cela lui paraissait insensé. Si elle l'aimait autant qu'elle le prétendait, elle devait lui offrir la seule chose qu'il exigeait d'elle. Son indépendance. Les yeux fermés, elle lui souhaita alors d'être aussi libre qu'il le désirait.

Au même instant, un avion survolait la baie de San Francisco avant de prendre la direction de l'Europe. Assis près du hublot, Quinn contemplait le Golden Gate. Des larmes roulaient sur ses joues.

15

Durant les semaines qui suivirent, Maggie se retrouva dans le même état qu'après la mort d'Andrew. Les jours se succédaient, tristement pareils, lui donnant l'impression d'évoluer en permanence dans le brouillard. Elle n'avait plus d'énergie, ne souriait plus, dormait à peine, et n'entendait pas ce qu'on lui disait. Elle vivait ainsi coupée du monde, comme quelqu'un débarqué d'une autre planète qui n'aurait compris ni les usages ni le langage des gens qui l'entouraient. Au travail, elle était ailleurs et arrivait difficilement à corriger les devoirs de ses élèves. En fait, elle ne voulait qu'une chose : s'enfermer chez elle pour penser à Quinn et faire ressurgir tout ce qu'ils avaient partagé comme autant de trésors inestimables.

Sa seule réaction positive fut de se porter de nouveau volontaire auprès du centre d'écoute pour adolescents. Elle avait cessé de le faire durant l'été, mais comme elle n'arrivait plus à trouver le sommeil, il lui semblait plus intelligent de profiter de ses insomnies pour se rendre utile. Parler à des adolescents en détresse d'une voix normale fut loin d'être facile, tant elle était déprimée, mais elle prit sur elle pour y parvenir. Excepté cela, plus rien dans sa vie n'avait le moindre sens. Le départ de Quinn avait rouvert de vieilles blessures, en faisant ressurgir dans son esprit tous ceux qu'elle avait aimés et perdus, et elle avait parfois l'impression d'être morte le jour où il l'avait quittée.

Jack et elle dînèrent ensemble un vendredi soir. Elle avait d'abord décliné son invitation, craignant que le voir ne lui rappelle trop Quinn, mais il avait insisté jusqu'à ce qu'elle cède. Lui aussi regrettait son ami et il semblait aussi déprimé qu'elle, lorsqu'ils se retrouvèrent. Quinn leur avait tant donné à tous les deux qu'il leur était difficile d'accepter qu'un homme si généreux se montrât si dur envers lui-même en refusant de se pardonner ses erreurs passées.

Maggie avait un numéro de téléphone satellite où le joindre en cas d'urgence, mais elle s'était juré de ne pas l'appeler. Il avait droit à cette liberté à laquelle il aspirait tant, même s'il fallait pour cela que sa vie à elle se transforme en désert. Quant à Jack, il lui avoua qu'il était encore tellement bouleversé par le départ de Quinn qu'il s'était disputé la veille avec Michelle au sujet de leur mariage. Il s'en voulait presque de ne pas être parti avec lui.

— Toi au moins, il t'a proposé de l'accompagner, lui fit remarquer Maggie.

— C'est vrai. Mais je n'imaginais pas que ce serait si dur de ne plus le voir. Chaque fois que je lis, je pense à lui.

Il lui expliqua ensuite que ses études étaient difficiles, mais qu'il était heureux de les suivre et qu'il voulait toujours entrer dans une école d'architecture à la fin de son cursus. Il semblait suffisamment déterminé pour y arriver et réussit même à la faire sourire en lui prédisant qu'il serait sûrement le plus vieil architecte de San Francisco.

En décembre, Maggie commença enfin à reprendre le dessus. Jack et elle continuaient de se voir le vendredi soir, mais avaient arrêté de jouer aux dés tant l'absence de Quinn se faisait alors cruellement sentir. A la place, ils préféraient parler de lui. Il n'y avait qu'avec Jack qu'elle pouvait le faire, car à l'école personne n'était au courant de l'existence de Quinn. Et il en allait de même pour Jack. Il avait tant rebattu les oreilles de Michelle avec son ami qu'elle ne voulait plus en entendre parler.

Peu de temps avant Noël, Jack lui apprit qu'il avait reçu une carte de Quinn disant qu'il avait pris un avion au Cap pour aller voir Alex et ses enfants. Jack l'avait apportée avec lui mais Maggie refusa de la lire. Elle savait que cela ne ferait que la déprimer davantage, et elle avait déjà assez pleuré comme ça au cours des deux mois précédents.

L'approche du mariage de Jack et Michelle, auquel elle avait promis d'assister, lui changea les idées, même si elle n'avait pas le cœur à la fête. Elle avait été incapable d'acheter une robe et, le jour dit, y alla dans une petite robe noire qu'elle possédait déjà.

La cérémonie la fit à nouveau pleurer et la réception fut un calvaire pour elle. Elle n'avait envie de danser avec personne et ne pensait qu'à s'éclipser. Elle avait beau vouloir tourner la page, la mort d'Andrew l'avait rendue si sensible à la moindre perte qu'elle n'arrivait pas à surmonter le départ de Quinn. Il le faudrait pourtant, se répétait-elle. Elle n'avait pas d'autre choix que de survivre. Elle le devait à Quinn.

Elle rentra chez elle dès que cela lui fut possible. Echapper au bruit et à la fête fut un soulagement. Jack était radieux, Michelle magnifique, et elle ne doutait pas qu'ils seraient très heureux ensemble, mais elle n'en pouvait vraiment plus.

Ce n'est que la veille de Noël qu'elle éprouva un certain apaisement. Au lieu de songer aux années qu'elle ne passerait pas au côté de Quinn, elle se mit à penser à ce qu'ils avaient vécu, aux quelques mois de bonheur qu'ils avaient partagés. Elle avait eu de la chance de le rencontrer. Comme pour Andrew, la gratitude l'emporta alors sur la tristesse. Le matin de Noël, elle faillit appeler Quinn, mais après avoir hésité pendant deux heures, elle renonça. Après tout, s'il avait eu envie de lui parler, il l'aurait déjà fait. Tout ce qu'elle pouvait faire désormais, c'était lui souhaiter beaucoup de bonheur et conserver précieusement les souvenirs qu'elle gardait de lui. Et il y en avait beaucoup. De toute façon, elle n'avait pas d'autre possibilité. Avec ou sans lui, elle devait aller de l'avant.

Ce jour-là, à la messe, elle alluma un cierge pour lui.

16

Le 24 décembre, Quinn se trouvait à Genève auprès d'Alex. Celle-ci avait accouché deux semaines plus tôt d'une petite fille, et comme promis il avait aussitôt pris l'avion pour venir la voir. Jane n'aurait pas manqué de le faire. Le soir venu, ils allèrent tous à la messe de minuit. Et lorsqu'il alluma un cierge, suivant en cela une tradition de sa jeunesse qu'il avait depuis longtemps oubliée, ce fut pour Maggie qu'il le fit.

Son séjour en Suisse fut des plus agréables. Christian et Robert étaient en extase devant leur petite sœur et ne cessaient de la prendre dans leurs bras, de la câliner, de l'embrasser. Ils faillirent même un jour la laisser tomber, mais Alex garda son calme. Elle était heureuse de discuter tranquillement avec son père. Elle appréciait de pouvoir enfin passer du temps avec lui. Il s'excusa des nombreuses fois où il les avait abandonnées, Jane et elle, durant les fêtes de fin d'année. Ce Noël en famille lui rappelait en effet qu'il avait plus souvent été parti pour affaires à l'autre bout du monde que présent chez lui durant ces moments, et il s'en voulait énormément. Alex le rassura en lui disant qu'elle le comprenait. Et puis elle était très touchée qu'il ait fait le déplacement depuis l'Afrique du Sud pour venir la voir. Cela signifiait beaucoup pour elle.

Quinn passa une semaine chez eux. Il fut tenté de lui parler de Maggie, mais y renonça. Tout en restant persuadé d'avoir bien agi, il était surpris de constater combien elle lui avait manqué durant ces deux premiers mois. Leur amour avait été encore plus grand qu'il ne l'avait cru et il se demandait ce qu'Alex en aurait pensé. Au fond de lui, il craignait sa réaction, certain qu'elle aurait estimé qu'il avait trahi Jane.

Il était toujours très attaché à sa femme et songeait souvent à elle, mais c'était invariablement l'image de Maggie qui s'imposait à lui lorsqu'il s'installait sur le pont de son bateau le soir pour contempler l'océan. Jane faisait partie du passé, alors que Maggie était solidement ancrée dans son présent. Mais seulement dans son présent. Son avenir, lui, était sa vie à bord, seul avec le souvenir de ses échecs, de ses succès, et des gens qu'il avait aimés et qui n'étaient plus avec lui.

Il partit tôt le matin de Noël, après avoir embrassé tout le monde et déposé de nombreux cadeaux sous le sapin. Il était heureux d'être réconcilié avec sa fille, mais préférait la laisser seule ce jour-là avec son mari et ses enfants. Du reste, il n'avait jamais raffolé de cette période de l'année. Elle lui pesait même de plus en plus.

Il regagna donc l'Afrique du Sud en avion et arriva tard le soir sur son bateau, heureux d'y revenir. C'était là qu'il se sentait chez lui désormais.

Le *Vol-de-Nuit* mouilla encore trois jours au Cap, le temps pour Quinn de procéder au ravitaillement et d'établir la route avec le capitaine. Il voulait franchir le cap de Bonne-Espérance et remonter la côte est de l'Afrique, tout en évitant les endroits où un voilier de cette taille risquait de leur attirer des ennuis. Il n'avait pas envie d'exposer l'équipage en s'aventurant dans des zones dangereuses.

Lorsque, enfin, ils levèrent l'ancre, ce fut pour lui un vrai plaisir de retrouver la haute mer et de partir vers de nouvelles destinations. Les conditions météo n'étaient pourtant pas bonnes, et elles ne cessèrent de se dégrader. Vers la mi-janvier, ils essuyèrent de très grosses pluies et la mer devint très mauvaise, rappelant à Quinn la tempête qui avait frappé San Francisco un an plus tôt. C'était à ce moment-là qu'il avait vu Maggie pour la première fois, debout sous la pluie battante, trempée jusqu'aux os. Y repenser lui donna envie de lui téléphoner, mais il s'en abstint. Entendre sa voix et lui parler n'aurait fait que raviver leur douleur. Il devait la laisser. Elle méritait un avenir plus radieux que celui qu'elle aurait pu connaître avec lui.

Après une semaine de pluie ininterrompue, épuisés par ce déluge incessant, ils décidèrent de changer de cap dans l'espoir de trouver un ciel plus clément, mais ce fut pire. Soulevé par d'énormes vagues, le *Vol-de-Nuit* roulait et tanguait si fort que Quinn fit remarquer en plaisantant qu'il faudrait bientôt que chacun s'attache à son lit, si la situation ne s'améliorait pas. Il ne pensait pas si bien dire, car cette nuit-là il fut réveillé par un énorme fracas. La mer était si démontée qu'un meuble était tombé et s'était brisé dans l'une des cabines. Jetant un œil à l'anémomètre à côté de lui, il constata que les vents avaient atteint la force 9. Il s'habilla rapidement pour rejoindre la passerelle de commandement. Le nouvel itinéraire semblait les avoir conduits tout droit au cœur de la tempête, et il fut impressionné par la hauteur des vagues qui se fracassaient sur le pont lorsqu'il retrouva le capitaine, le second et le mécanicien. Tous trois étudiaient les derniers rapports météorologiques tout en surveillant le radar. A l'extérieur, des paquets de mer s'abattaient de plus en plus violemment sur le bateau. Chaque fois que celui-ci s'enfonçait dans un creux puis se redressait, tous redoutaient que les mâts ne cèdent. Seul Quinn était sûr qu'ils tiendraient bon.

— Eh bien, ça c'est du sport ! lança-t-il d'un ton joyeux avant de se reprendre en voyant la mine inquiète du capitaine. Vous vous en sortez ?

Il restait persuadé que tout allait s'arranger. Le *Vol-de-Nuit* était un bateau solide, capable d'affronter toutes les tempêtes, et lui-même n'avait jamais eu peur du gros temps. Ce n'était qu'un mauvais moment à passer.

— Il y a des récifs dans le coin, lui apprit Sean Mackenzie après avoir consulté leur radar et le sonar. Et un pétrolier est en difficulté pas très loin d'ici. Les garde-côtes lui ont répondu il y a quelques instants, mais on dirait que les choses ne vont pas s'arranger.

— Ça ressemble à un ouragan, non ? commenta Quinn avec détachement, comme s'ils n'étaient pas concernés.

Un peu plus tard cependant, il se tourna vers le capitaine.

— Je veux que chacun mette son harnais de sécurité. Les lignes de vie ont été installées ?

— Il y a une heure déjà, le rassura Mackenzie.

Les harnais comportaient plusieurs petites lampes et étaient accrochés avec des mousquetons à des câbles courant sur le pont, au cas où l'un d'entre eux aurait basculé par-dessus bord. Mais Quinn savait qu'avec de telles conditions météo il serait impossible de repêcher quiconque tomberait à l'eau.

— Et surtout, pas d'imprudence, dit Quinn au second avant de se diriger vers le pont pour vérifier que tout allait bien du côté de l'équipage.

Comme tout le monde, il avait enfilé un ciré jaune, mais le capitaine lui rappela d'un air grave qu'il devait se harnacher lui aussi, avant de s'aventurer hors de la passerelle.

— Oui, chef, répondit Quinn en souriant.

Une fois prêt, il sortit. Des bruits de verre brisé lui parvinrent de la cuisine, mais ce n'était pas tant cela qui le tracassait que le risque de démâtage. A ce stade, malheureusement, il n'y avait rien d'autre à faire qu'attendre. Quinn commença néanmoins à ressentir une pointe d'appréhension devant la mer en furie. Jamais il n'avait vu de tels rouleaux. Les vagues, hautes de vingt mètres au moins, représentaient un défi pour n'importe quel navire, y compris le *Vol-de-Nuit.* Alors qu'il tentait de sonder l'obscurité environnante, il entendit un cri à quelques mètres de lui. L'un des plus jeunes membres d'équipage avait failli être emporté par une lame. Deux de ses compagnons l'avaient retenu à temps et s'agrippaient à présent à leur ligne de vie, mais le bateau piqua du nez au même instant et une énorme lame s'abattit sur eux. Au bout de ce qui parut une éternité à Quinn, les trois hommes se relevèrent.

— Venez ! cria-t-il en leur faisant de grands gestes pour qu'ils rentrent se mettre à l'abri.

Lentement, les marins rampèrent vers la passerelle. Dans l'intervalle, le pont s'était presque redressé à la verticale et Quinn crut qu'ils n'y arriveraient jamais. Ils le rejoignirent enfin. C'était la première fois de sa vie qu'il éprouvait une telle frayeur sur un bateau. Tout ce qui pouvait être attaché l'avait été, mais des objets ne cessaient de tomber et de se briser dans les cabines. C'était sans importance. Seule leur survie le préoccupait dorénavant.

— Eh bien, on s'en souviendra, de celle-là, dit-il pour détendre l'atmosphère.

La plupart des hommes paraissaient anxieux tant le bateau craquait et vibrait sous la pression des vagues. Quinn ne voulait pas leur montrer qu'il s'inquiétait tout autant qu'eux, mais il regrettait amèrement de les avoir emmenés là. Il avait mal calculé les risques et en payait le prix. Ils étaient impuissants face à une telle situation. Ils ne pouvaient plus que prier pour s'en sortir.

L'aube se leva enfin, grise et lugubre. Le vent avait gagné en intensité, rendant la mer plus dangereuse encore. Les deux hôtesses s'étaient elles aussi réfugiées dans la cabine de commandement, de sorte que l'équipage au complet s'y trouvait. Le capitaine ordonna alors à tout le monde d'enfiler un gilet de sauvetage. L'hypothèse d'un naufrage n'était plus à exclure, et il ne voulait négliger aucune mesure de sécurité.

Il lança ensuite un appel radio au navire le plus proche et apprit que le pétrolier avait coulé sans que personne ait eu le temps d'embarquer sur l'un des canots de sauvetage. Cela n'aurait servi à rien de toute façon. Ils n'auraient eu aucune chance de survie avec une mer si démontée.

Peu après 9 heures, ils reçurent un appel de détresse. Cette fois, plusieurs bateaux de pêche étaient portés disparus. Quinn échangea un regard soucieux avec le capitaine. A côté de lui, l'un des marins se mit à prier à voix haute et il eut l'impression que les autres faisaient de même, en silence. Il leur aurait bien offert un remontant, surtout après la nuit qu'ils venaient de passer, mais il était important qu'ils gardent les idées claires.

Il regarda à nouveau dehors les vagues déchaînées et la pluie qui tombait toujours en rafales. C'est alors qu'il eut l'impression de voir une femme. Une femme qui n'était autre que Maggie. En se rappelant tout ce qu'ils avaient partagé, il eut l'envie soudaine de l'appeler et se jura de le faire si jamais ils survivaient à ce cauchemar, ce qui semblait de moins en moins probable. Le *Vol-de-Nuit* ne résisterait pas longtemps aux assauts des vagues, d'autant qu'elles étaient de plus en plus grosses. Un silence de mort régnait à présent dans la cabine, brisé seulement par le bruit des meubles et des objets projetés à terre dans les cabines et la cuisine.

— Eh bien, les gars, dit-il doucement, on est dans le pétrin. Mais j'aimerais bien ramener le bateau. Il m'a coûté la peau des fesses.

Le mécanicien éclata de rire et, l'instant d'après, plusieurs personnes se mirent à parler en même temps. Les récits de tempête se succédèrent alors, plus terribles les uns que les autres, et Quinn fit tout son possible pour que la conversation continue. La peur se lisait cependant sur les visages, et la vue de ces hommes et de ces femmes en gilet de sauvetage n'avait rien de rassurant. Certains avaient allumé une cigarette, tandis que d'autres se taisaient toujours – sans doute priaient-ils, songea Quinn. Tout en tentant de réconforter l'équipage, il ne cessait de penser à Maggie. Il voyait la mort s'approcher. Il ne l'attendait pas si tôt, mais en même temps elle était telle qu'il l'avait souhaitée, car il avait toujours répété qu'il voulait finir sa vie en mer. La seule chose qui le réconfortait était que Maggie ne soit pas venue. Il n'aurait pas supporté qu'elle meure par sa faute.

A ce moment-là, le bateau plongea vers l'avant. Les hôtesses hurlèrent, mais deux hommes se mirent à chanter, suivis peu à peu par les autres. S'ils devaient mourir, autant que ce soit avec élégance et courage. Tous unis, ils affrontaient les flots déchaînés. Le temps leur parut s'écouler interminablement, mais vers midi ils constatèrent enfin une légère accalmie. Si la tempête faisait toujours rage, les vagues n'étaient plus aussi gigantesques et le bateau n'était plus secoué aussi violemment. Il leur fallut patienter jusqu'au soir pour que la pluie et le vent perdent en intensité. A minuit, malgré des dégâts considérables, la situation était presque sous contrôle. Le voilier tanguait toujours fortement, mais pour Quinn et le capitaine ils ne couraient plus de vrai danger. Ils en eurent la certitude à l'aube. Ils mirent alors les moteurs et arrivèrent à Durban dans l'après-midi, poussant des cris de joie et pleurant lorsque le bateau entra au port.

— On s'en souviendra longtemps... déclara Mackenzie.

Quinn hocha la tête. Ces quarante-huit heures l'avaient fait réfléchir sur sa vie. Plus de cinquante personnes avaient péri en mer cette nuit-là, et il remerciait le ciel qu'aucun de ses hommes ne comptât parmi les victimes. Jamais il ne pourrait oublier ce qu'ils venaient de vivre. Tandis que le *Vol-de-Nuit* s'engageait lentement dans le port, il se tourna vers le capitaine pour le remercier. Ils étaient convenus de ramener le voilier aux Pays-Bas pour le réparer, mais l'essentiel pour l'instant était que tout le monde soit sain et sauf. Tous deux avaient vraiment cru qu'ils n'en réchapperaient pas et ils se demandaient encore comment ils y étaient parvenus. Seul un miracle avait pu les sauver. Oui, un miracle. Quinn en était certain.

17

Maggie s'éveilla au son de la pluie qui tambourinait sur ses carreaux. Elle n'avait pratiquement pas fermé l'œil de la nuit, l'esprit occupé à tout ce qu'elle devait accomplir ce jour-là, dont une pile de copies à corriger pour le lendemain. Elle reprenait enfin goût à son métier. De plus, deux jours plus tôt, elle avait sauvé une adolescente de quatorze ans qui l'avait appelée sur la ligne du centre d'écoute. Elle n'avait pas retrouvé sa joie de vivre mais elle reconnaissait que son existence avait de nouveau un sens et qu'elle n'avait plus le cœur si lourd ni les idées si noires, sauf quand elle pensait à Quinn. Mais elle savait que cela passerait un jour. Elle avait déjà vécu cela. N'avait-elle pas appris grâce à Andrew que le temps guérissait tout ? Même si les cicatrices et les blessures demeuraient à jamais présentes, on s'habituait à vivre avec elles – ou plutôt malgré elles. Elle ne laisserait pas Quinn la détruire. Il fallait qu'elle redresse la tête, sinon tout ce qu'elle conseillait aux adolescents pour les aider ne serait qu'un tissu de mensonges. Et elle ne pouvait accepter cela. Si elle était capable de leur donner des raisons d'espérer, elle pouvait en trouver pour elle aussi.

Elle se leva, se doucha et s'habilla avant d'avaler une tasse de café, un toast et la moitié d'un pamplemousse. La pluie tombant toujours, elle enfila ensuite son imperméable et, la tête baissée pour se protéger du vent, courut vers sa voiture pour aller à l'école. Elle l'atteignait presque lorsqu'elle aperçut un homme qui avançait dans sa direction. La présence de cet inconnu près de chez elle à une heure si matinale la terrifia, et elle cria lorsqu'il tendit le bras vers elle. Jamais elle ne se serait attendue à être attaquée à ce moment de la journée. Mais l'homme se contenta cependant de la serrer contre lui, tandis qu'elle se débattait. Elle avait le souffle court et essayait de reprendre sa respiration. Tout en essayant de se libérer, elle leva les yeux vers lui et c'est alors qu'elle le reconnut. Il avait les cheveux courts, les traits amaigris, et il était aussi trempé qu'elle, mais c'était bien lui. Quinn. Ou alors son sosie.

— Qu'est-ce que tu fais là ? s'exclama-t-elle, stupéfaite.

Il était censé être en Afrique, et voilà qu'il réapparaissait devant elle, de la façon la plus incongrue.

— Le bateau a failli sombrer pendant une tempête au large de l'Afrique du Sud, répondit-il.

Je viens de le ramener aux Pays-Bas pour le faire réparer.

Elle s'écarta de lui afin de mieux l'observer. Il avait l'air hagard et épuisé. Sans doute descendait-il tout juste de l'avion, pensa-t-elle. Il semblait n'avoir pas dormi depuis plusieurs jours – ce qui était le cas.

— Au moment où je croyais qu'on allait tous mourir, tu m'es apparue et je me suis juré de t'appeler, si jamais on s'en sortait.

Elle le fixa avec circonspection. Elle avait souffert le martyre depuis son départ et ne voulait pas se réjouir trop vite.

— Tu ne l'as pas fait pourtant, objecta-t-elle.

Elle ne comprenait pas pourquoi il était ici ni ce qu'il disait. C'était comme s'il lui parlait dans une langue étrangère. Tout se bousculait dans sa tête.

— C'est vrai, reconnut-il.

Dans ses yeux brillait une lueur qu'elle n'avait jamais vue auparavant. Il dégageait une impression de force et de certitude, comme s'il était revenu d'entre les morts, plus puissant et plus libre qu'avant.

— Je préférais te parler de vive voix, ajouta-t-il. Ça va ?

Elle hocha la tête en constatant à quel point elle s'était sentie en sécurité entre ses bras. Elle avait cru ne jamais se remettre de son départ, mais, comme lui, elle avait affronté la tourmente et en avait réchappé. Debout sous la pluie, ils se regardaient en se demandant s'il restait quelque chose de leur amour. Ils avaient été emportés par des courants contre lesquels ils n'avaient pu résister et ignoraient si un retour était possible.

— J'ai rêvé de Jane en rentrant aux Pays-Bas, lui avoua-t-il alors. Elle avait l'air sereine. Elle me disait qu'elle allait bien et qu'elle m'aimait. Et à la fin, elle m'a souri avant de disparaître.

Maggie l'écouta avec attention. Ils savaient l'un et l'autre ce que cela signifiait. Il avait enfin cessé de se reprocher ses erreurs passées.

— Je vais être en retard au lycée, balbutia-t-elle faute d'une meilleure remarque à faire.

Mais Quinn sembla ne pas l'entendre.

— Veux-tu venir avec moi ? demanda-t-il.

Il avait parcouru près de dix mille kilomètres pour lui poser cette question. Il avait vu défiler toute sa vie et était descendu en enfer. Mais ce qu'il avait trouvé au cœur de la tempête était tout ce dont il avait besoin. Aux portes de la mort, il avait découvert le pardon. Sortir d'une telle épreuve voulait dire qu'il méritait de vivre avec Maggie. C'était le sens qu'il donnait à la vision qu'il avait eue d'elle cette nuit-là. Pour lui, elle représentait l'avenir. Il avait fini de racheter ses fautes, et le dernier rêve dans lequel Jane lui était apparue avait achevé de le libérer de son fardeau.

— Tu es sérieux ? répliqua-t-elle, prudente.

— Oui. Tu acceptes ?

Un long moment s'écoula avant qu'elle acquiesce d'un signe de tête.

— Tu veux bien de moi, alors ? murmura-t-elle.

Il éclata de rire.

— J'ai failli couler avec mon bateau, et Dieu seul sait pourquoi je m'en suis tiré. Je suis allé d'Afrique en Hollande, puis de là jusqu'à San Francisco en passant par New York, tout ça pour toi, et tu doutes de ma proposition ? Oui, Maggie, je te veux avec moi. Je suis le plus grand imbécile qui ait jamais existé, mais je te promets que je ne te quitterai plus jamais. En tout cas, pas comme je l'ai fait en octobre. Dire qu'il a fallu que je manque mourir pour comprendre ce que je voulais vraiment !

Il mit soudain un genou à terre.

— Veux-tu bien me suivre ?

— Oui, répondit-elle en riant. Mais il faut que je démissionne du lycée, que j'effectue mon préavis... et aussi que je corrige mes copies. Quand repars-tu ?

— Pas tant que tu ne pourras pas venir. Le bateau en a pour deux, peut-être trois mois avant d'être réparé. Je peux rester chez toi en attendant ?

Elle sourit. Si trempé fût-il, jamais il n'avait été aussi beau à ses yeux.

— Tu veux que je te conduise à l'école ? proposa-t-il.

— Volontiers.

— Quand pourras-tu donner ta démission ? poursuivit-il tandis qu'elle lui tendait ses clés de voiture.

Tout cela était merveilleux et fou à la fois, songea-t-elle. Exactement comme lui. Il avait parcouru la moitié du globe pour lui demander de partir avec lui. Certes, il avait fallu qu'il frôle la mort pour se décider, mais il l'avait fait.

— Je rédigerai ma lettre aujourd'hui. Ça t'ira ?

Il mit le contact et passa une vitesse, avant de s'arrêter et de se tourner vers elle.

— Est-ce que je t'ai dit que je t'aimais ?

— Je ne m'en souviens pas. Mais je l'avais deviné. Ça me semblait très probable après tout le chemin que tu as fait pour venir me chercher. Je t'aime, moi aussi. Maintenant, avance, je suis en retard. Tu m'as fait une de ces peurs, tout à l'heure ! J'ai cru qu'on m'agressait.

— J'étais juste content de te retrouver.

Il sourit et s'engagea dans Vallejo Street. En chemin, il lui raconta la tempête qu'il avait traversée et elle fut d'accord avec lui pour convenir que seul un miracle avait pu le sauver. Décidément, lui fit-elle remarquer en l'embrassant, leur histoire était placée sous le signe des éléments déchaînés. C'était une tempête qui les avait fait se rencontrer un an plus tôt, et c'en était une deuxième qui les réunissait à présent.

Quinn la déposa devant le lycée et la regarda lui faire un dernier signe de la main, avant qu'elle ne coure se mettre à l'abri. Maggie avait illuminé sa vie et l'avait aidé à guérir de ses blessures en lui apportant le pardon. Là encore, seul un miracle pouvait l'expliquer. Et ce miracle avait pour nom l'amour.

Vous avez aimé ce livre ?
Vous souhaitez en savoir plus sur Danielle STEEL ?
Devenez, gratuitement et sans engagement, membre du
CLUB DES AMIS DE DANIELLE STEEL
et recevez une photo en couleurs dédicacée.

Il vous suffit de renvoyer ce bon accompagné d'une enveloppe timbrée à vos nom et adresse, au *CLUB DES AMIS DE DANIELLE STEEL – 12, avenue d'Italie –* 75627 PARIS CEDEX 13 ou de vous inscrire sur le site www.danielle-steel.fr

---

CLUB DES AMIS DE DANIELLE STEEL
12, avenue d'Italie – 75627 Paris Cedex 13

Monsieur – Madame – Mademoiselle

NOM :
PRENOM :
ADRESSE :

CODE POSTAL :
VILLE :
Pays :

E-mail :

Age :
Profession :

La liste de tous les romans de Danielle Steel publiés aux Presses de la Cité se trouve au début de cet ouvrage. Si un ou plusieurs titres vous manquent, commandez-les à votre libraire. Au cas où celui-ci ne pourrait obtenir le ou les livres que vous désirez, si vous résidez en France métropolitaine, écrivez-nous pour le ou les acquérir par l'intermédiaire du Club.

Composé par Nord Compo
à Villeneuve-d'Ascq